D0309112

Verscheurd

Andere boeken van **Kate Cann**
bij **Uitgeverij Kluitman:**

Verliefd

Samen

Twijfels

*

Vrij

Verscheurd

Kate Cann

KLUITMAN

Voor mijn ouders, die bij elkaar bleven

Omslagontwerp: Design Team Kluitman.
Omslagillustratie: Ingrid Baars/The Artbox.
Nederlandse vertaling: Jetty Zee/Reactie.
Dit boek is gedrukt op chloorvrij gebleekt papier,
dat afkomstig is van hout uit productiebossen.

Nur 284/G090201
ISBN 90 206 2136 X

Oorspronkelijke titel: *Breaking up*
First published in the UK by
The Women's Press, London.

www.kluitman.nl

Bij Koninklijke Beschikking
Hofleverancier

1

Deze kerst was de verschrikkelijkste, afschuwelijkste, allervreselijkste die ik ooit heb meegemaakt. Als er een duivel bestaat, was het zíjn feest.

Gelukkig is het voorbij. Godzijdank. Gelukkig kan ik weer naar school.

De enige momenten waarop we met Kerstmis zo'n beetje konden doen alsof het allemaal niet zo erg was, was als de tv aanstond. Maar dan kregen we van die kerstreclames te zien. Je weet wel. Met van die stralende, met sneeuw bepoederde en door het licht van een open haardvuur beschenen gezinnetjes die overliepen van liefde voor elkaar. Daarbij vergeleken was de woedende, kille, wanhopige kerst bij ons thuis des te erger. De spanning, het doen-alsof, de ruzies en de huilbuien leken nog gruwelijker. En dat enorme, enórme gevoel van mislukking net onder het oppervlak was dubbel zo groot, omdat wíj er niet in slaagden om gelukkig te zijn. Wij staan zo ver af van het geluk van die stralende gezinnetjes uit de reclame. We zouden van een andere planeet kunnen komen.

Ik wil er niet aan denken, niet meer. Mijn hoofd zit er zo vol mee dat ik er misselijk van word. Al die stiltes. Stiltes die werden verbroken door het snauwen van mijn ouders, het huilen van mijn moeder die boven zat, of het geschreeuw van mijn vader. Hij schreeuwde zo hard dat de aderen in zijn nek ervan opzwollen en zijn ogen wel van een krankzinnige leken. Mijn moeder, die een halve fles wijn tegen de muur smeet en het huis uit stormde, en het bittere, plotseling gesloten gezicht van mijn vader. Mijn twee zusjes die mijn kamer binnenslopen en vroegen: „Fliss, haten papa en mama elkaar?" Ik verzon gewoon maar allemaal gezellige kletspraat voor ze. Ik zei dat het alleen maar eventjes niet zo goed ging. Terwijl mijn darmen verkrampt waren en steeds meer in de knoop raakten van angst en ellende.

Ik wil er niet aan denken.

Kerstmis was gewoon shit.

Het stomme is dat mijn moeder altijd zo goed was in Kerstmis vieren. We hadden het elk jaar geweldig. Ik heb zulke goede herinneringen aan de tijd toen ik klein was… Hulst kopen in het tuincentrum, sneeuwpoppen maken van watten, kerstkoekjes bakken, ze in de boom hangen en opeten als ze eruit vielen. Mam was echt dol op al die voorbereidingen… het werd haar nooit te veel. En toen werd eerst Alexa en daarna Phoebe geboren, maar dat veranderde niks. Ze gaf mij de leiding over de kerstvoorbereidingen – dan zei ze steeds tegen me hoe goed ik haar hielp. En als mijn vader uit zijn werk kwam, vertelde ze hoe lief ik was geweest. Dan keek hij naar het engelenhaar en de hulst en de rotzooi en lachte alleen maar, tilde me op en gaf me een zoen…

Daar wil ik nu niet aan denken. Omdat alles zo anders is geworden. In plaats daarvan denk ik aan Simon. Het is woensdagavond – straks ga ik naar zijn huis. Dat doe ik op woensdagavond altijd. We hebben nog zoveel te doen voor ons eindexamen het komend voorjaar, dat we hebben afgesproken elkaar maar één keer in de week te zien, en woensdag is precies midden in de week.

We hebben vijf maanden, één week en vier dagen verkering. Ik ben al aan het bedenken wat ik voor hem zal kopen als we elkaar zes maanden kennen. Zes maanden, dat is lang. Als je al zo lang verkering hebt, dan is het wel serieus, hè?

Als ik het pad op loop naar de voordeur van Simons huis, hoop ik net als anders dat híj open zal doen, en niet zijn moeder. Ze is verpleegkundige en heeft onregelmatige diensten. Je weet nooit of ze thuis is of niet. Niet dat ik zijn moeder niet mag, zo is het niet. Ze heeft een beetje een Schots accent en ze doet best aardig tegen me; ze lijkt vriendelijk. Maar Simon heeft me een keer verteld dat ze vindt dat we nog te jong zijn voor serieuze verkering. Maf hoe 'serieus' op z'n Schots echt héél serieus klinkt. Simon is jonger dan ik, vandaar. Hij is nog lang geen zestien.

Ik heb altijd het gevoel dat ze bij mij een beetje op haar hoede is, dat ze me eigenlijk afkeurt. Als ik op een avond vaker dan één keer opbel, zegt ze: „Ben jij 't alweer, Felicity?" Dat soort dingen.

Maar deze keer bof ik. De deur gaat open en daar staat Simon. Hij grijnst naar me terwijl zijn haar, dat er altijd uitziet alsof het nodig geknipt moet worden, alle kanten op staat. Hij trekt me naar binnen en we lopen hand in hand de trap op, hij voorop en ik achter hem aan. Ik vind het heerlijk dat hij me met zich meeneemt, ik vind het heerlijk om te voelen dat we samen zijn, dat ik bij iemand hoor.

Als we op zijn kamer zijn, duwt hij de deur dicht. Dan slaat hij zijn armen om me heen en beginnen we te kussen. Dat doen we altijd meteen. Een van de redenen is dat zijn moeder het maar niks vindt als we samen op zijn kamer zitten. Als ze boven komt, klopt ze altijd maar één keer en gooit daarna gelijk de deur open. Het is een beetje gênant als je elkaar dan in de houdgreep hebt. Maar ze komt nooit boven als ik er net ben, waarschijnlijk omdat het dan te veel zou opvallen.

Simon is niet zo'n geweldige kusser. Ik weet dat ik de eerste ben met wie hij echt gaat en ik weet zeker dat hij vóór mij niet met veel meisjes heeft gezoend. Dus moet hij gewoon nog wat meer oefenen.

Ik zou willen dat hij wat langzamer kuste, dat hij mijn kussen zou beantwoorden, zou reageren, en niet alleen maar met zijn tong in het rond zou malen alsof hij naar iets zoekt dat hij niet kan vinden. Op oudejaarsavond vorig jaar heb ik gekust met een jongen die ik niet eens kende – het was geweldig. Het was heerlijk traag en hij wist wat hij deed, hij nam de leiding, maar hij reageerde ook. Hij luisterde naar mij, op de een of andere manier. Het is meer dan een jaar geleden, maar ik weet nog steeds hoe het voelde.

„Zo Flissy, hoe gaat 't?" zegt Simon. „Erg hè, om weer terug te zijn in het rottige schoolleven?"

Ik mompel 'ja,' al ben ik blij om weer naar school te moeten, blij om even van alle ellende thuis verlost te zijn. Ik concentreer me weer op zijn mond. Simon en ik hebben de afspraak dat we op school net doen alsof we niks met elkaar hebben. We zouden er anders maar mee gepest worden. Stelletjes als Dom en Hannah kunnen het zich wel permitteren, maar die zijn zo cool dat ze alles kunnen maken. Vlak voor de kerstvakantie moesten ze bij de directeur komen, omdat ze het bijna aan het doen waren in de meisjestoiletten van de bovenbouw.

Simon maakt zich van me los, slentert naar de andere kant van de kamer en zet een cd op. Dan gaan we naast elkaar op de grond zitten, met onze ruggen tegen zijn bed. Hij slaat zijn arm om me heen en ik leg mijn hoofd op zijn schouder. Zo zitten we altijd. En dan voel ik me zo warm en geliefd… als ik op zo'n moment dood zou gaan, zou het me niets kunnen schelen.

„Nu zien we elkaar tenminste weer wat vaker," zeg ik. „Ik heb je in de kerstvakantie nauwelijks gezien."

„Ach, je weet hoe het gaat met Kerstmis. Het was hier volle bak. Mijn oom Fraser en de rest van de familie uit Aberdeen hebben hier een week gelogeerd."

„Heb je leuke neven?" vraag ik. Ik voeg er nog net niet aan toe: Die had ik best eens willen ontmoeten. Had je mij niet kunnen uitnodigen?

„Ze zijn oké. Het is heel stom, maar iedere keer als we elkaar zien, doen we de eerste paar uur altijd heel afstandelijk en zo en proberen we indruk op elkaar te maken. En daarna is het net alsof we weer kinderen zijn, snap je, samenzweren tegen de volwassenen en proberen onder de afwas uit te komen. Mike en Jamie sliepen op mijn kamer." Hij kijkt zijn kamer rond, alsof hij nog nageniet bij de herinnering. „Ik baalde er eerst echt van, hoor, dat ze in mijn territorium kwamen, maar het ging hartstikke goed. We hebben tot drie uur 's ochtends liggen praten."

„Waarover, in vredesnaam?"

„Over van alles. Over wat echt is. Hoe we zeker weten dat we niet alleen maar de producten van elkaars verbeelding zijn. Of dat computers misschien zo slim worden dat ze de mens gaan overtreffen en zichzelf kunnen onderhouden en de macht zullen overnemen, waardoor de mens langzamerhand de macht over de planeet verliest en uit zal sterven."

„Hm, als er maar wel een paar vrouwen overblijven," zeg ik, maar hij lacht niet. Heel even ben ik jaloers dat hij met anderen over dat soort diepzinnige dingen praat. Simon en ik praten veel, moet je weten, altijd, over alles. Dat is iets speciaals, onze band.

„Heb je ze verteld dat je een vriendin hebt?" vraag ik.

„Ja," antwoordt hij, maar op zo'n toon dat ik hem niet geloof.

„Je hebt me nog niet gevraagd hoe ik het met kerst heb gehad," zeg ik.

„Jawel."

„Niet echt. Alleen maar door de telefoon."

Hij zwijgt heel even, dan zegt hij: „Oké, vertel maar."

Ik begin te huilen. Even maar, dan snuit ik mijn neus en vertel hem alles over de kerst bij ons thuis.

2

Ik voel me altijd beter als ik bij Simon ben geweest. Net of ik heel lang in een warm bad heb gelegen of zoiets. Hij begrijpt me zo goed. Bij hem kan ik alles kwijt over mijn vader en moeder. Ik weet nog de eerste keer dat ik bij hem uithuilde, hoe het net was alsof er een muurtje tussen ons werd afgebroken. Het voelde alsof ik echt mezelf kon zijn bij hem, zonder me anders voor te doen. Ik zeg hem heel vaak hoe eenzaam ik me zou voelen als hij er niet was.

In de bus terug naar huis denk ik aan wat Simon zei, aan hoe ik alles in perspectief moet zien. Hij zegt dat ik minder moet denken aan hoe mijn ouders tegen elkaar zijn en meer aan hoe ze met mij omgaan. Hij heeft me verteld over een vriend van hem die het thuis afschuwelijk heeft en echt hoopt dat zijn vader het huis uit gaat, zo erg haat hij hem. Zo erg is het bij mij niet, zegt Simon, want ik hou nog steeds van allebei mijn ouders en ze zijn allebei goed voor me. En dat is waar, denk ik. Ik hou nog steeds van ze. Ik denk dat mijn moeder en ik de laatste jaren wat closer zijn geworden. Mijn vader is een beetje norser en grijzer en kortaf. Maar ik weet dat hij er nog steeds is voor mij. Hij is minder humeurig dan mijn moeder, en op de een of andere manier wat eerlijker.

Om half tien ben ik weer thuis. Mijn moeder staat in de gang met een grote vuilniszak. Ze kijkt een beetje schuldbewust, alsof ik haar ergens op heb betrapt en zegt dan: „Hallo, schat. Heb je een leuke avond gehad?"

„Wat ben je aan het doen, mam?" vraag ik.

„O, ik gooi alleen maar wat oude versierspullen weg. We hebben in de loop der jaren zoveel verzameld dat ik het nauwelijks de kast nog in kreeg. Ik had mezelf beloofd het deze maand op te ruimen."

Ik gluur in de zak. Ik zie stukken engelenhaar, de kleine plastic sneeuwpoppetjes die we al hebben zolang ik het me kan herinneren, en de kartonnen kerststal die ik in een schoenendoos maakte toen ik een jaar of zeven was.

„Het is alleen maar oude troep," zegt mijn moeder. „Ik heb nog genoeg bewaard."

Plotseling kan ik het niet uitstaan dat ze alles weggooit. Het lijkt net of er iets wordt afgesloten, alsof we nooit meer Kerstmis zullen vieren. Ik wil iets zeggen, maar mijn keel zit dicht en het lukt niet. Zonder woorden, maar met al mijn wilskracht probeer ik mijn moeder te laten zeggen dat alles weer goed zal komen, hoe verschrikkelijk het de laatste tijd ook is geweest – maar ze buigt alleen voorover en bindt de zak dicht.

„Waar is iedereen?" vraag ik.

„Je vader is nog niet thuis. Alexa en Phoebe liggen in bed."

„O. Nou… ik ga naar boven, mam. Ik ben bekaf."

„Oké, schat. Trusten."

Zo snel mogelijk doe ik het licht uit en wikkel mezelf zó

strak in mijn dekbed, dat ik me niet meer kan verroeren. Mijn gedachten gaan naar mijn moeder, die kerstspullen uitzoekt om mee te geven aan de vuilnisman. Ik bedenk hoe veel ze veranderd is en hoe alles bij ons thuis anders is geworden.

Vroeger was ze zo'n ouderwetse, gezellige moeder. Die er altijd was als we uit school kwamen, en dan iets lekkers te eten of te drinken voor ons maakte. Gewone dagen toverde zij om tot iets bijzonders. Ze maakte plannetjes voor uitjes en verrassingen, ze kookte feestmaaltijden. Ze was dol op feesten, niet alleen op Kerstmis... ze maakte overal een feest van. Zodra de narcissen in de winkels en in de bloemenstalletjes lagen, kocht ze er bergen van en zette overal in huis vazen vol prachtige gele bossen neer. Pannenkoeken bakken werd een wedstrijd, wie gooide zijn pannenkoek het hoogst de lucht in? En met Pasen beschilderden we eieren en zochten we paaseitjes in de tuin. Dan stond mijn moeder heel vroeg op en verstopte ze chocolade-eitjes tussen de bloemen en de struiken. Daarna maakte ze een heerlijk paasontbijt en riep mijn vader naar ons smalle terras, waar ze samen koffie dronken en toekeken hoe wij zochten.

Mijn zusjes en ik zijn alle drie in november jarig. Maf. Mijn oma vroeg mam altijd: „Vind je dat nooit vervelend, schat? Drie verjaardagen zo vlak achter elkaar?" Dan schudde mijn moeder haar hoofd en antwoordde lachend dat ze juist de dagen ertussenin vervelend vond.

Dat was echt waar. Ze werd altijd chagrijnig als er 'niks gebeurde'. Ze wilde dat het leven een groot feest was, één lang festijn. Een half jaar geleden haalde haar vriendin Jane haar over om haar talenten anders te gebruiken en begonnen ze samen een bedrijfje dat kinderverjaardagsfeestjes organiseert. Veel mensen laten nog liever hun tanden met een nijptang trekken dan dat ze een kinderverjaardagsfeestje geven, en dan vooral voor hun eigen kind. Dus dat bedrijfje loopt behoorlijk goed. Maar er valt niet veel geld te verdienen aan miniboterhammetjes en zakjes snoep. Het bedrijf levert haar dus geen winst op, hoeveel uren ze er ook in steekt. Mijn vader en zij hebben er voortdurend ruzie over – hij zegt dat het haar te weinig oplevert voor de energie die ze erin steekt. Zij zegt dat het haar op de been houdt en dat dat veel meer waard is.

Ons leven is enorm veranderd sinds ze met dat werk is begonnen, dat is zeker. Het is hectisch geworden, chaotisch. Dat maakt mijn vader woedend. Daar wordt zij weer boos van, omdat hij haar niet steunt en als ik het niet voor haar opneem, wordt ze nog kwaad op mij ook. „Je bent precies je vader," zegt ze dan. Ik vind het heel vervelend als ze dat zegt. Ik weet dat ze het niet aardig bedoelt.

Soms wens ik – heel kinderachtig – dat ze nog steeds genoeg aan ons zou hebben. Dat het huishouden haar nog gelukkig zou maken en dat ze er tevreden mee zou zijn. Ik weet dat dat egoïstisch is.

Ik slaap bijna en mijn hoofd tolt van de weemoedige herinneringen aan hoe het vroeger was… alle seizoenen komen voorbij…

Halloween. Dat was altijd fantastisch… het favoriete feest van mijn moeder. Zij vond Halloween al leuk ver voordat de winkels gingen meeprofiteren van de winstgevende business uit Amerika en je doodgooiden met hoedjes en monstermaskers. We holden pompoenen uit, kerfden enge gezichten in de schil en zetten er waxinelichtjes in. De gezichten gloeiden oranje, alsof ze leefden. Dat gaf me een vreemd gevoel, ik werd er een beetje bang van, maar ook gelukkig. Mijn moeder zei altijd dat het oké was om een beetje bang te zijn. Het leven is soms eng, zei ze... Er moet een donkere kant zijn, want hoe weet je anders wanneer het licht is?

Toen ik net op de middelbare school zat, organiseerde mijn moeder een groot kampvuur. Ze wist dat ik het behoorlijk lastig vond om groot te worden en ineens op zo'n enorme school te zitten. Daarom, zei ze tegen me, ging ze een feest voor me houden, zodat ik eens lekker kon relaxen. Samen met een paar vriendinnen bouwde ze een reusachtig kampvuur naast een gesloten fabriek. Ik weet nog hoe chagrijnig mijn vader deed en hoe hij almaar kreunde dat er zoveel tijd in ging zitten, maar mijn moeder en haar vriendinnen zetten door en verdeelden de taken: wie zorgde voor de drankjes? En wie voor de hotdogs? Om zes uur kwamen we bij elkaar, toen het al donker was. Veel kleintjes hadden zich verkleed als heksen en spoken en zo, en ze hadden pompoenlantaarns bij zich. Iemand had sterretjes meegenomen. En er was veel eten, er kwamen voortdurend nieuwe gasten aan met nog meer lekkere dingen, en iedereen vond het gezellig.

Het was geweldig, het leukste feest dat ik ooit heb gehad. Er waren een heleboel kinderen van school en we gedroegen ons weer allemaal alsof we klein waren. We maakten elkaar en onszelf bang en renden het donker in en weer terug naar het vuur. Het kampvuur werd steeds lichter en warmer en spectaculairder. Iedereen zat er in een grote kring omheen en keek gebiologeerd naar de vlammen. De mensen die er vlak bij stonden, verschroeiden hun gezichten zowat. Mijn moeder kwam naar me toe, legde haar arm om mijn schouders en vroeg: „Weet je waarom vleermuizen in verhalen vaak met heksen te maken hebben?"

„Omdat ze vies en eng zijn?"

„Nee, niet alleen daarom. Als er vroeger heksen op de brandstapel gingen, gebeurde dat meestal 's avonds, in het donker. Het licht van het vuur trok insecten aan. En die insecten trokken op hun beurt weer grote vleermuizen aan. Omdat de vlammen zoveel hitte verspreidden, schoten die vleermuizen snel weer weg. De toeschouwers zagen iets wegschieten en dachten dat het de ziel van de heks was die aan haar oude lichaam ontsnapte."

„Griezelig," giechelde ik, en ik wilde net weglopen om mijn vriendinnetjes weer op te zoeken toen ze mompelde: „Stel je eens voor. Dat je jezelf gewoon kunt veranderen en wegvliegen. Ongelooflijk. Wat lijkt me dat heerlijk."

Ik kan me de hartstocht in haar ogen nog herinneren, het verlangen – ik raakte er echt van in de war. Wilde ze echt wegvliegen, of was het gewoon een van haar buien? Het zat me niet lekker, maar op de een of andere manier durfde ik er haar niets over te vragen. Even later zag ik mijn vader en haar ruziemaken omdat hij naar huis wilde en zij nog niet. En op dat moment drong het plotseling tot me door dat dat niet vreemd was, dat ze eigenlijk al een hele poos niet goed met elkaar konden opschieten.

Maar ik negeerde die gedachte, stopte hem weg.

Ik kan nu niet meer doen alsof er niets aan de hand is. Het is net alsof mijn hoofd ervan overloopt. Toch weet ik dat ik haar niets zal vragen. Ik vraag haar niets over mijn vader, want dat zou het écht maken. Vorig jaar zou ik nog hebben beweerd dat er niets was wat ik niet met mijn moeder kon bespreken, helemaal niets. Maar dat is niet meer zo. Ik ben zo bang. Ik ben bang voor wat ze zal antwoorden. Ik ben bang, omdat ik niet weet wat er gaat gebeuren.

3

Het is donderdag. Pauze. Ik ben totaal in gedachten verzonken als Liz plotseling naast me staat. Na Simon heb ik het meest contact met haar, al is onze vriendschap een beetje verslapt sinds ik verkering heb. Op school ga ik nog steeds veel met haar om, maar in het weekend ga ik bijna nooit meer met haar en de anderen uit. Daardoor kan ik door de week niet echt meedoen met roddelen.

Liz is zo'n type met een heleboel goede vriendinnen. Het maakt haar niet zoveel uit. „Kom op," zegt ze en haakt haar arm door de mijne. „Laten we gaan."

„Wát? De stad in?"

„Ja. We zijn toch alleen pleinwacht geworden om een pasje te krijgen waarmee we tussen de middag het schoolplein af mogen, weet je nog?"

„Nou..."

„Hoor 'ns... ik moet even weg uit deze zooi. Kom op. Er is een nieuwe saladbar-of-hoe-heet-zo'n-ding geopend. Italiaans. Meg zegt dat-ie goed is. En goedkoop."

Aarzelend maak ik mijn tas open. Ik vind het leuk dat ze me meevraagt, maar ik wil mijn geld eigenlijk bewaren voor zaterdagavond, als ik uitga met Simon. „Nou..." zeg ik. „Ik heb brood bij me..."

Razendsnel trekt ze het zakje uit mijn hand. „Wat zit erop? Kaas? Dat eten we onderweg wel op. Dan trakteer ik jou straks op een cola. O, kom op, Fliss... we zien elkaar haast nooit meer! Daar is Meg... we gaan!"

En voor ik het weet, word ik naar het hek gesleurd en onder de jaloerse blikken van een groepje brugklassers stevenen we naar buiten. „*Free!*" zegt Liz zo hard dat ze het allemaal kunnen horen. „We gaan!"

We lopen snel over de stoep, tot we bij de eerste winkels zijn. Liz deelt mijn brood uit.

„Hoe zit het nou, Fliss?" vraagt Megan. „Hoe staat het met de grote liefde?"

„Best," zeg ik. Ik ben een beetje op mijn hoede, want die twee kunnen je enorm pesten als ze er zin in hebben.

„Heb je het al met hem gedaan?" wil Meg weten en Liz begint te proesten van het lachen, waardoor brood met kaas alle kanten op spat.

Even voel ik me op mijn teentjes getrapt, dan begin ik mee te lachen. „Bemoei je met je eigen zaken."

„Dus je hebt het nog niet gedaan," kraait Megan. „Je weet toch dat jij het initiatief moet nemen, hè?"

„Nee hoor! Dat zeg je zeker omdat hij me niet de hele tijd onder druk zet, zoals die seksmaniakken waar jij mee omgaat!"

Megan snuift en Liz moet lachen. „Simon Babyface," zegt ze. „Is hij nog net zo verliefd op je als eerst?"

„Verliefder," antwoord ik zelfvoldaan. „Hij is zo leuk. Zo lief."

„Hm. Ik wou dat Jake lief was," zegt Meg mopperend. Ze

heeft niet echt verkering met Jake; ze 'ziet hem wel eens'. Hij is negentien, werkt 's avonds en heeft een motor.

„Ach Megan, jij zou je dood vervelen met lief," zegt Liz. „Dat weet je best."

„Nou, mij verveelt het niet," reageer ik meteen. „Simon is gewoon... ik weet het niet. Het is gewoon fijn met hem. Hij is zo leuk."

„Jemig, Fliss... je moet echt wat vaker uit," zegt Megan. „Ga mee zaterdag!"

„Ik heb al afgesproken met Simon."

„Van een avondje zonder hem ga je heus niet dood. We gaan naar Club Nitrate."

„Simon zou er echt van balen als ik zonder hem ging dansen."

„Getver! Ik word gek van je, Fliss! Al dat vaste gedoe. Kom nou mee en maak eens lol! Weet je nog, de eerste avond dat Club Nitrate open was?"

Ik begin te lachen.

„En dat jij ervandoor ging met een van de uitsmijters?"

„Hij was geen uitsmijter," protesteer ik. „Het was de jongste broer van een van de uitsmijters!"

„Maakt niet uit. De keer daarna mochten we er gratis in!"

We zijn bij de nieuwe saladbar en giechelend gaan we naar binnen. Achter de toonbank staat een jongen met donker haar naar ons te grijnzen. Hij is ergens in de twintig en draagt een mouwloos T-shirt waardoor zijn spieren goed uitkomen. Megan fluit zachtjes.

„Dames!" zegt hij. „Kan ik jullie helpen?"

„Hm," zegt Liz.

„We hebben vier verschillende pastasalades, koolsla, een groene salade, tomaten-basilicumsalade, aardappelsalade... drie scheppen voor twee pond."

We turen door het glas naar de grote bakken met verse salade. Het ziet er fantastisch uit. „Het gaat in deze bakjes," zegt hij. Hij pakt er een en zwaait ermee in onze richting.

„Ik wil graag een beetje van die koolsalade," zegt Megan.

„Gezond eten, hè, zodat je zo mooi blijft." Hij kijkt haar verlekkerd aan, alsof hij in de gaten heeft dat ze hem leuk vindt.

„En wat groene salade... en wat van die krullerige pasta hier."

„De dressing is gratis," voegt hij er bemoedigend aan toe. „Net als de vork."

Naast me doet Liz haar best om niet de slappe lach te krijgen. Ze staat in mijn zij te porren en gebaart met haar hoofd naar een reusachtige pepermolen die op de toonbank staat.

„Je moet ook olijven nemen," zegt de jongen op overdreven toon. „Er-rug Italiaans. Hé... die krijg je erbij van het huis. En... peper?" Hij pakt de reusachtige molen.

Vijf minuten later zitten we naast elkaar op een bankje in het park en maken onze bakjes open. „Echt hoor, ik dacht dat ik zou stikken toen hij met die enorme peperpot in jouw richting begon te prikken," grinnikt Liz.

„Ik weet het," zegt Megan. „Getsie, ik haat olijven."

„Waarom zei je dat dan niet?"

„Dan had ik hem gekwetst!" Ze pakt de olijven een voor een beet en gooit ze in het gras. „Ik denk dat hij me wel leuk vond. Gaan jullie morgen weer mee?"

„Nee hè, ben je weer op jacht?"

„Ja, nou... hij was best leuk. En ik weet bijna zeker dat Jake ook iemand anders heeft op dit moment."

Ik draai me een halve slag naar haar om en kijk haar aan. „Echt, Megan... ik snap niet dat je dat pikt."

„Omdat Jake lekker is. En omdat ik op die manier ook vrij ben, toch?"

„Ja maar, dat wil je toch niet echt? Je zou best een relatie met Jake willen, toch?"

Megan haalt haar schouders op en staart naar de olijven die ze heeft weggegooid. „En net zo vast zitten als jij, zeker?"

„Ik zit niet vast. Wat wij hebben... is heel speciaal."

„Ja hoor."

„We vertrouwen elkaar."

„Als jullie elkaar zo vertrouwen, waarom kun je dan niet af en toe zonder hem uit? Je doet nooit meer iets met ons."

„Maar alles is anders nu! Ik wil bij hém zijn. Dat zou je ook begrijpen als je..."

„Vurrrliehiefd zou zijn?" maakt Megan mijn zin sarcastisch af.

Op dat moment klap ik dicht en zeg niks meer. Ik merk dat Liz naast me met haar elleboog in de zij van Megan port. Even is het stil, dan zegt Megan: „Oké, oké. Hoor eens, Fliss... ik ben blij voor je dat het zo goed gaat. Echt."

„Ze is gewoon jaloers," voegt Liz er op sussende toon aan toe.

Er volgt een ongemakkelijke stilte. Ik weet dat ze vinden dat ik snel op mijn teentjes getrapt ben als het over Simon gaat.

Voor we verkering kregen, was hij al maanden stapelgek op me. Hij liep me overal achterna en vroeg van alles over me. Ons groepje beschouwde hem als een soort hofnar, omdat hij jonger is dan ik en bekend stond als een nerd. Op een gegeven moment raapte hij al zijn moed bij elkaar en vroeg me mee uit – iedereen was stomverbaasd dat ik ja zei. Ik stond zelf ook verbaasd. Maar er was iets geweldigs aan de manier waarop hij naar me keek, het voelde zo goed dat hij zo onvoorwaardelijk verliefd op me was…

„Weet je, eigenlijk… missen we je gewoon," onderbreekt Liz mijn gedachten. „We missen hoe het vroeger was."

Die donderdag ben ik laat uit school, want ik moet naar de bieb om iets op te zoeken over de opkomst van het fascisme in Duitsland. Ik moet een werkstuk schrijven, een van de laatste dingen die ik voor geschiedenis moet doen. Ik wil het perfect doen. Soms vind ik het fijn om te werken voor school, dan ga ik er helemaal in op. Omdat alleen ik er verantwoordelijk voor ben en niemand anders, en omdat ik bepaal wat er gebeurt. Ik loop de keuken in en hoop dat alles oké is en dat we bijna gaan eten, maar mijn moeder begroet me met: „Fliss! Godzijdank ben je terug! Ik moet over een halfuur weg!"

Ik kijk om me heen… in de gootsteen staan stapels pannen en elke millimeter van het aanrecht is bedekt met grote, ovalen schalen vol eten met plastic folie erover.

„We zijn door een bedrijf gevraagd om het eten voor een afscheidsfeestje te verzorgen!" zegt mijn moeder vrolijk en opgewonden. „Je weet wel… volwássenen!" Ze kijkt me met stralende ogen aan. Jane en zij proberen al een tijdje de markt voor volwassenen te veroveren. „Het cateringbedrijf dat eigenlijk het eten zou verzorgen, liet het op het laatste moment afweten, dus belden ze Jane en zij heeft gezegd dat wij het wel konden doen!" gaat ze verder. „Ik heb de hele dag staan ploeteren!"

„Geweldig, mam!" zeg ik. En het is ook geweldig. Geweldig om haar zo gelukkig te zien, in ieder geval. Alleen heeft het weer met de buitenwereld te maken. Met dat ze bij ons weg kan.

„Het was puur geluk. De opdrachtgever had dat foldertje gezien dat we rond hebben gestuurd en in zijn wanhoop belde hij ons nummer. En Jane zei ja. Als dit lukt... nou, het is best een groot bedrijf. Dan gaan we het misschien maken."

„Dat is geweldig," zeg ik nog een keer. „Wat moet ik doen?"

„Help me maar bij het in de auto zetten van de spullen. En dan... kun jij de zaken hier voor me waarnemen, schat?"

'De zaken voor me waarnemen' is de term die mijn moeder gebruikt als ze bedoelt dat ik voor Phoebe en Alexa moet zorgen. Ik voel een golf van zelfmedelijden. Ik moet een werkstuk maken. Ik wil dat er iemand voor míj zorgt.

„Tuurlijk," zeg ik. „Geen probleem."

Ik help haar met het inladen van de auto en zwaai haar uit. Ik voel me paniekerig als ze wegrijdt, alsof ze echt vlucht, wegschiet als een vleermuis op Halloween. „Doe niet zo stom," zeg ik tegen mezelf als ik de gang weer in loop. Ik hoor mijn zusjes ruziemaken bij de tv in de achterkamer. Ik bedenk dat ik de keuken in moet om op te ruimen en dat ik iets moet opsnorren om hen te eten te geven. En plotseling komt uit het niets hetzelfde gevoel naar boven dat ik met kerst had, toen alles zo afschuwelijk was. Het gevoel dat ik zou willen gillen, maar dat het me niet lukt, dat het er niet uit wil en als een prop in mijn keel blijft steken.

Ik loop de voorkamer in, pak de telefoon en toets het nummer van Simon. De telefoon gaat drie keer over en dan neemt zijn moeder op. Ik vraag haar of ik Simon mag spreken.

„Lieve hemel, heb je hem op school nog niet genoeg gezien, Felicity?" vraagt ze. Ze doet opgewekt, maar je kunt merken dat ze eigenlijk geïrriteerd is.

Ik zeg niets. Het lukt niet. Dan hoor ik het geluid van de hoorn die met een klap op de tafel wordt gelegd. Even later zegt de stem van Simon: „Hallo?"

Ik kan geen antwoord geven. Ik kan niet meer praten. Mijn keel begeeft het als ik zijn stem hoor.

„Fliss? Wat is er? Wat is er aan de hand?"

„Ik voel me zo ellendig," jammer ik. „Ik kan er niet tegen! Het is net of mijn moeder ons aan de kant heeft gezet. Alsof ze alleen nog maar om haar cateringbedrijfje geeft. Mijn examen interesseert haar geen bal."

„O Fliss, kom op. Natuurlijk interesseert haar dat."

„Niet waar. Haar werk is het enige dat telt! En ik ben bang dat als het goed gaat en ze genoeg geld verdient, dat ze dan weg zal gaan. Dat ze dan gewoon de deur uit loopt."

Het komt mijn mond uit alsof ik bezeten ben. Ik heb het nog nooit, nog nooit eerder gedacht. Maar nu ik het heb gezegd, weet ik dat het best waar zou kunnen zijn. Ik wil dat

Simon me serieus neemt en nu heb ik zijn aandacht.

„O, kom op, Flissy," zegt hij, een en al lievigheid. „Ze gaat niet weg."

„Ze wil gewoon bij ons weg. Ik weet 't zeker."

„Bij je vader misschien, maar toch niet bij jou en je zussen?"

„Pap zou nooit weggaan. Dat zou hij gewoon nooit... zoiets doet-ie niet. Hij komt altijd laat uit zijn werk en zo, maar hij komt altijd thuis. Zíj zou bij hem weg moeten gaan. O, God. De afgelopen weken... het gaat slechter dan ooit tussen hen."

Ik vertel Simon over de ruzie die ik gisteravond heb moeten aanhoren. En dat mijn moeder alleen nog maar glimlacht als ze de deur uit gaat. Simon luistert.

„Ik kan er niet meer tegen," zeg ik. „Het is mijn eindexamenjaar. Ik heb steun nodig."

En dan zegt hij de woorden waar ik naar heb gesnakt: „Flissy, je krijgt steun. Je hebt mij toch?"

4

Simons woorden werken als een injectie met pijnstillers. Ze helpen me de volgende anderhalf uur door te komen. Ik ruim op en roep Phoebe en Alexa, die me helpen met afdrogen. Daarna mogen ze weer tv kijken, terwijl ik witte bonen in tomatensaus en toast met kaas voor ze klaarmaak. Ze vragen om een toetje, dus ga ik op zoek. Ik vind een reep gevulde chocola en breek hem doormidden voor ze. En ik snijd een grote appel in stukken. Ik merk aan ze dat ze niet erg van hun diner onder de indruk zijn, maar ze weten dat ze beter niet kunnen klagen.

„Neemt mama de restjes mee?" vraagt Phoebe. „Van het feestje? Voor straks?"

„Niks dat jij lekker vindt," snauw ik. „Zo'n soort feestje is het niet."

We eten in stilte verder. Daarna ruimen we met z'n drieën de tafel af en ten slotte zeg ik dat het bedtijd is.

„Moeten we in bad?" vraagt Phoebe.

„Hoe moet ik dat in vredesnaam weten?" zeg ik. „Poets maar gewoon je tanden en ga naar bed."

Ik kijk toe als ze naar boven sjokken en voel me even heel naar. Ik heb medelijden met ze, maar dan voel ik weer een golf van woede voor mijn moeder. Het zijn haar kinderen, niet de mijne. Ik ben moe. Uitgeput van verontwaardiging. Het is bijna negen uur en het enige dat ik nog wil, is zelf naar bed gaan.

„Fli-hiss?" Alexa roept van boven.

„Wat is er?"

„Ik heb bonen op mijn trui."

„Nou en? Mik hem maar in de wasmand."

„Ik heb geen schone meer. Ik heb al gekeken."

„En wat moet ik daaraan doen?"

Het is even stil, dan herhaalt Alexa: „Ik heb geen schone meer. Ik moet deze morgen weer aan naar school."

Weer een golf van zelfmedelijden, groot genoeg om me erin te wentelen, groot genoeg om erin te verdrinken. Ik dwing mezelf diep en langzaam door te ademen. „Gooi maar naar beneden. Ik doe hem zo wel in de wasmachine."

Alexa gooit de trui van de trap af en ik loop drie treden omhoog om hem op te rapen van de tree waar hij terecht is gekomen. „Dank je wel, Flissy!" zegt ze met trillende stem. Ze klinkt zo overstuur dat ik de neiging krijg om helemaal naar boven te lopen en haar te knuffelen, haar te troosten voor ze haar bed weer in klimt. Arm, klein meisje. Ze weet wat er aan de hand is, net als ik. Ze is doodsbang. Maar dat kunnen we niet delen. Niet meer na die afgrijselijke Kerstmis. We kunnen niet toegeven dat er iets mis is. Het zijn net monsters in het donker, achter de deur en onder je bed, als je klein bent. Het is te gevaarlijk om ze een naam te geven. Als je zegt dat ze er zijn, zijn ze er ook echt.

Ik draai me om en loop naar beneden. „Slaap lekker!"

„Slaap lekker!" fluistert ze terug.

Ik ga weer naar de keuken, ruk het deurtje van de wasmachine open en zie dat hij vol zit met witte handdoeken en lakens. Ik trek ze eruit en gooi ze op de vloer, omdat ze lila zouden worden als ik ze mee zou wassen met de paarse trui van Alexa. Dan doe ik waspoeder in de machine en voel plotseling een huismoederlijke aanval van schuldgevoel, omdat ik een hele was draai voor één trui. Dus stampvoet ik weer naar boven, pak de wasmand van de overloop, keer hem om en pak alle donkere spullen die ik zie. Als ik langs de kamer van de meisjes loop, hoor ik ze fluisteren. Phoebe huilt, geloof ik. Geweldig, mam, denk ik woest. Gewéldig!

Ik prop de machine vol, zet hem aan en daarna vul ik de waterkoker. Het is kwart over negen. Te laat om nog aan het werk te gaan. Shit, deze hele avond is naar de maan. Ik ga naar bed. Maar dat kan nog niet. Ik moet opblijven en wachten tot de was klaar is, zodat ik die stomme trui van Alexa in de droger kan doen, want morgenochtend is daar niet genoeg tijd voor. Ik zou een briefje voor mijn moeder kunnen neerleggen, bedenk ik. Of voor mijn vader. Maar als ze echt laat thuiskomen en het briefje niet zien, is die trui morgenochtend nog drijfnat en dan gaat Alexa uit haar dak en...

Ik voel me zo opgefokt, zo beroerd dat ik geen stap meer kan verzetten. Ik vind het helemaal niet erg om te helpen als alles goed gaat, echt niet. Maar wat heeft dit allemaal voor zin? Afwassen en opruimen en voor de meisjes zorgen, terwijl ons gezin eraan gaat? Dat is hetzelfde als een huis opruimen vlak voor een aardbeving. Ik blijf stilstaan terwijl de waterkoker uit klikt en sta nog zo als er allang geen stoom meer uit de tuit komt. Ik weet niet hoe lang ik daar sta. Ik heb het gevoel dat ik nooit meer zal kunnen bewegen.

Dan klinkt het geluid van een sleutel in het slot van de voordeur. En mijn moeder roept niet: „Hallo-ho," zoals ze altijd doet, dus moet het mijn vader zijn. Mijn eerste impuls is om naar hem toe te rennen, zoals ik deed toen ik klein was, maar ik doe het niet. Ik zet de waterkoker weer aan en blijf tegen het aanrecht geleund staan wachten.

„Ben je alleen?" vraagt hij als hij de keuken binnen loopt.

„Ja. Mam had een klus vanavond. Een afscheidsfeestje."

„Wat doen al die lakens op de vloer?"

„Ik moest de machine leegmaken. Er moest een trui van Alexa gewassen worden."

Hij zegt niets, maar loopt naar de koelkast en pakt een blikje bier. Dan pakt hij een glas uit de kast, en hevelt het bier over naar het glas. Traag en heel precies, geconcentreerd. Met enige afschuw kijk ik toe.

Ik kan me niet voorstellen dat mijn vader ooit aan seks heeft gedaan. Ik bedoel… ik weet dat niemand dat wil, zich voorstellen hoe je ouders bezig zijn, omdat het echt walgelijk is. Maar bij mijn vader is het nog erger. Hij is veranderd in het soort man van wie je je nauwelijks nog kunt voorstellen dat hij een lichaam heeft. Alsof zijn hoofd vastzit aan een of andere iele, droge machine in een pak. Zijn pak is zijn omhulsel. Of zijn schild, zoals bij een kever. Zonder pak zakt hij misschien wel in elkaar.

Mijn moeder is heel anders. Ze is zo vol leven. Ze maakt grapjes en flirt met iedereen, ze fleurt helemaal op als ze een nieuw iemand leert kennen. Ik kan me het van haar goed voorstellen dat ze vrijt, alleen niet dat ze het met mijn vader doet. Misschien is dat het probleem wel.

„Dus jij hebt overal voor gezorgd?" vraagt hij. Maar echt geïnteresseerd is hij niet. Hij kijkt niet naar me – zijn blik schiet de keuken rond.

„Ja," zeg ik. „Ik heb eten voor de meisjes gemaakt. Bonen met toast."

Ik wil graag dat hij zegt dat ik het goed heb gedaan, dat hij me aankijkt en zegt: „Luister, Fliss, maak je maar geen zorgen. Je moeder en ik komen er samen wel uit," maar dat doet hij niet. „Bonen met toast?" herhaalt hij mijn woorden, sarcastisch en afkeurend. „Erg voedzaam."

„Nou, ik had geen tijd om iets anders te maken," snauw ik. „Ik moest de keuken opruimen, de was aanzetten en..."

„Hoe laat is ze weggegaan?"

„'k Weet niet. Een paar uur geleden. Ik moest vanavond eigenlijk een werkstuk maken, maar het is nu al te laat."

„Het is nog niet eens tien uur."

Zijn gebrek aan sympathie kwetst me en ik voel dat er tranen in mijn ogen komen. „Ik ben moe," zeg ik. „We moeten zoveel doen voor school op dit moment, en..."

„En daardoor heb je geen tijd om thuis te helpen, bedoel je? Er zijn een heleboel kinderen die het allebei moeten doen, Felicity."

„En er zijn vast een heleboel mensen die meer steun krijgen dan ik tegenwoordig krijg!" vuur ik terug.

Ik ben niet voorbereid op wat er daarna gebeurt. Absoluut niet.

Hij draait zich naar me toe alsof hij me voor het eerst duidelijk ziet en spuugt de woorden eruit: „Zeg niet dat we je niet steunen! We steunen je! Dit alles…" hij zwaait met zijn armen de keuken rond, „…dit alles steunt je!"

„Nee, dat is niet waar," zeg ik schor. „Dit is alleen onderdak en eten… dat is geen steun."

Zijn gezicht vervormt en dan is het net alsof hij helemaal flipt. „Geen echte steun? Jezusmina. Jij egoïstisch klein varken! Je bent alleen maar met jezelf bezig! Jouw examen is niet het enige, weet je dat! Dat is niet de hele wereld!"

Ik ben zo geschokt, zo gekwetst dat ik niet eens met mijn ogen knipper. Ik staar hem alleen maar aan.

„Je kunt alleen maar aan jezelf denken, hè? Hoe erg die shit tussen je moeder en mij voor jou is. Je denkt niet aan je zusjes, je denkt niet… Moet je jezelf eens zien: het kan je niks schelen!"

Ik kan niet bewegen, ik kan niets zeggen, ik kijk alleen maar. Nu staart hij naar de vloer en ademt diep in en uit, zijn vuisten gebald. Het is lang, lang stil.

„Sorry," mompelt hij. „Ik… eh… sorry."

„Het kan me wel schelen," fluister ik. „Het kan me meer schelen dan wat dan ook. Ik vind het verschrikkelijk."

Hij geeft me geen antwoord. We zijn de grens over, hij en ik. Hij heeft het begeven. Hij heeft het begeven en hij is begonnen met eerlijk zijn. Zelfs al betekent het dat we de monsters hebben benoemd en ze daarmee echt zijn geworden, toch moeten we het doen, we moeten er nu over praten.

„Wat gaan jullie doen?" zeg ik zuchtend. „Mam en jij? Gaan jullie uit elkaar?"

Hij haalt zijn schouders woedend op en blijft naar de vloer staren. „Het is al te ver," zegt hij zachtjes.

„Je moet met haar praten," ga ik verder. „Jullie moeten proberen eruit te komen. Ik weet dat jullie ruziemaken om mams werk. Maar het doet haar goed. Het maakt haar gelukkig."

„Gelukkig dat ze hier weg kan. Niemand die ooit weet of er eten is of schone kleren om 's ochtends aan te trekken... de badkamer is al in geen weken schoongemaakt..."

„Maar dat doet er toch niet toe?" zeg ik opgewekt. „Dan doe ik het wel. Maakt me niet uit." Het maakt me ook niets uit. Niet als daardoor alles verder goed zou gaan. Niet als dat het enige probleem zou zijn, dat de badkamer niet schoon werd gemaakt.

Maar mijn vader zucht en zegt: „Kijk... het is niet alleen haar werk, Felicity. Of de zooi in huis. Zó banaal ben ik nou ook weer niet. Het gaat gewoon niet meer tussen ons."

„Het gaat alleen maar even niet zo best," mompel ik en ik besef dat ik dezelfde onware woorden tegen hem zeg als tegen mijn zusjes.

Weer volgt er een lange stilte. Mijn vader slaakt nog een zucht die uit zijn tenen lijkt te komen. Dan loopt hij in de richting van de deur en zegt: „Ik ga naar boven. Ik moet morgen vroeg beginnen." In het voorbijgaan geeft hij me een onhandig klopje op mijn schouder en zegt zachtjes: „Het spijt me, Felicity. Het spijt me."

Ik haat die woorden. Ik heb nog liever dat hij tegen me schreeuwt.

5

Als ik de volgende dag naar school loop, ben ik bang, helemaal verstijfd van angst. Ik heb Simon nodig zoals een verslaafde een shot moet hebben, ik heb hem nodig om me weer mens te voelen. Ik moet hem zien, zodat ik de dag kan doorkomen. Zodat ik het daarna weer aankan om naar huis te gaan. De eerste twee lesuren ben ik doodsbang. Ik probeer de paniek uit alle macht van me af te duwen. Dat lukt, denk ik, dat lukt. Als ik Simon straks maar zie.

Zodra de zoemer voor de pauze gaat, schiet ik overeind en steven op de deur af.

„Hé, Fliss!" roept Liz me achterna.

„Ja?" snauw ik.

„Waar ga je heen?"

„Proberen Simon te vinden."

„Hé, eh... je ziet er slecht uit. Gaat het wel?"

„Ja. Nee. Mijn ouders... je weet wel."

„Is het nog steeds zo erg?"

„Erger."

Dan volgt er een kleine pauze, alsof ze zich even afvraagt wat ze zeggen moet en net als ze haar mond weer opendoet, zeg ik snel: „'k Moet gaan, oké?" en verdwijn door de deur.

Ik loop de gang in en baan me een weg door groepjes

scholieren. Ooit zou ik Liz alles hebben verteld, maar dat ligt tegenwoordig anders. Nu wil ik alleen nog maar op zoek naar Simon.

Ik ga de school uit, de hoek om, naar de muur van de gymzaal waar de rokers altijd rondhangen, maar ik zie hem niet. Ik kijk op mijn horloge... de pauze is al half om. Waar zit hij in vredesnaam?

Ik zoek en ik zoek, maar zie hem pas als de pauze voorbij is en iedereen door de grote, dubbele deuren naar binnen dromt. Hij is het, hij is het beslist: zijn achterkant en zijn haar dat alle kanten op steekt. Maar ik kan niet naar hem toe. Ik kan me niet door de menigte heen wringen en daar glipt hij al naar binnen.

„Hé, Simon!" schreeuw ik over de hoofden heen. Mijn stem klinkt schril en wanhopig.

„He, Simon!" doet een jongen me na, zijn stem een spottende sopraan.

Simon draait zich om. Zelfs uit de verte kan ik zien dat hij zich schaamt. Een paar van zijn vrienden lopen naast hem. Ze grijnzen en kijken naar hem. Hij doet zijn hand half omhoog. Zwaait aarzelend terug.

„Ik moet je spreken!" schreeuw ik. „In de grote pauze!"

„Oehoe, Simon, Simon, ik moet je gewoon spreken," spot dezelfde jongen.

Simon knikt en draait zich heel snel om. Ik wed dat hij bloost. Hij haat het als er iets gebeurt waardoor hij rood wordt. Nou, daar kan ik niets aan doen.

De volgende les ben ik al rustiger, omdat ik weet dat ik Simon zo zal ontmoeten. Als we na school samen ergens heen gaan, spreken we altijd af bij de zij-uitgang. In de grote pauze, zodra ik kans zie, loop ik daar snel heen.

Hij is er niet, maar ik ben vroeg en weet dat hij zal komen. Ik wacht even, dan zie ik hem aan komen lopen. Hij loopt niet stoer, zoals de meeste jongens uit onze klas. Hij loopt voorzichtig. Alsof hij zich verontschuldigt. Soms irriteert het me, maar vandaag is het precies wat ik wil zien.

„Simon!" roep ik en dan sta ik voor hem en sla mijn armen om zijn nek.

„Hé, rustig aan," zegt hij zachtjes; hij pakt mijn handen en doet ze omlaag. „Wat is er?"

„Ik moest je gewoon even spreken," zeg ik. „Kan dat?"

„Nou... ja. Behalve... zoals je daarstraks over iedereen heen schreeuwde..."

„O, waarom kan het je zoveel schelen wat andere mensen denken?"

Zijn gezicht wordt stug. Ik heb een zenuw geraakt, met opzet. Simon is paranoïde als het erom gaat om voor gek staan voor andere mensen. Erger dan de meeste andere jongens.

Ik haak mijn vingers in de zijne en trek hem naar een leeg bankje in de buurt. Er staat een verwilderd, klein struikje voor en dat is op dit plein het enige beetje privacy dat er te vinden valt. „Sorry," zeg ik. „Sorry dat je je ongemakkelijk voelde door mij. Het is gewoon... heb jij er ook niet een beetje genoeg van dat we op school nooit eens samen zijn? Ik bedoel... we zouden samen kunnen eten, we zouden..."

„Maar daar hebben we het al eens over gehad en daar waren we het over eens," zegt hij, nog steeds stug. „Je wordt hier helemaal gek gepest als je hand in hand loopt."

„Je denkt te veel aan wat andere mensen denken!"

„Ja ja, dat heb je al gezegd."

„Nou, het is ook zo."

„Ja, dat heb je al gezegd."

Ik vind de manier waarop dit gesprek gaat niet prettig. Ik hou niet van de gesloten uitdrukking op Simons gezicht. Ik kruip dicht tegen hem aan en zeg: „Oké, oké, sorry. Het is gewoon... dit is een van de ergste weken van mijn leven. Echt waar. Ik zit zó in de stress."

Hij geeft geen antwoord, dus ga ik iets dichter bij hem zitten en zeg: „Ik moet er even uit, Simon. Echt waar. Zullen we morgen de bus nemen en een dagje naar het strand gaan? Naar Whitness, misschien. Dan vertrekken we vroeg... en eten we tussen de middag fish and chips in een van die lelijke cafés daar..."

„Die zijn dicht," zegt hij zonder enthousiasme. „Het is winter."

„Oké, oké, dan nemen we broodjes mee. Ik maak ze wel. En een thermoskan met thee."

„Ik heb morgen afgesproken met de jongens. We zouden de stad in gaan. Max moet een nieuw jack hebben."

„O, geweldig. En hij heeft jou er absoluut bij nodig om er een uit te zoeken, zeker."

„Nee..."

„Nou, ga dan met mij mee."

Simon schuift een stukje bij me vandaan, doet zijn armen over elkaar en staart voor zich uit. Hij kan niet goed ruziemaken. Hij weet nooit iets te zeggen, dus win ik altijd.

„Luister, Fliss," mompelt hij. „Sinds we elkaar kennen,

hebben we altijd 's avonds afgesproken, en niet overdag. Nou, soms op zondag. Maar nooit op zaterdag."

„Ik weet het," zeg ik. Ik vond die afspraak prettig toen we verkering kregen. Daardoor voelde ik me veilig, wist ik waar ik aan toe was. Maar nu... „Het wordt zo'n sleur," zeg ik. „Heb jij nooit zin om het anders te doen?"

„Ik heb een afspraak met Max," herhaalt hij koppig. „En met de anderen. Daarna gaan we naar Tom om een wedstrijd te kijken."

Ik zeg niets. Hij moet een dagje met me weg, hij móét. Ik staar naar de grond vlak voor me en er glijden twee dikke tranen over mijn gezicht. „Ze gaan scheiden, Simon," zeg ik zachtjes. „Het is zeker."

„Jemig. O... Fliss." Hij slaat zijn arm om me heen en trekt me tegen zijn schouder. „O... wat erg. Hebben ze het je verteld?"

„Mijn vader."

„Wat... zonder je moeder erbij?"

„Hij... hij versprak zich zo'n beetje. Hij zei dat het niet meer te redden viel met gesprekken en relatietherapeuten en zo."

„Ga je je moeder vertellen wat hij heeft gezegd?"

„Ik weet 't niet."

„Dus hij zei dat ze definitief gaan scheiden?"

„Nou... niet met zoveel woorden, maar..."

Simon leunt met zijn rug tegen de leuning en duwt me een klein stukje weg. „Pas als ze het echt aankondigen, moet je je zorgen gaan maken, Fliss. Ik bedoel... misschien moest hij alleen wat afreageren. Tot ze de grote stap echt nemen, kan het allemaal nog worden teruggedraaid..."

„Dit kan niet worden teruggedraaid," snik ik. Ik vind het vreselijk om dat te zeggen. Het geeft me het gevoel dat ik het onheil over ons gezin afroep, maar ik moet Simon duidelijk maken hoe ernstig het is en hoe naar ik me voel. „Het is verschrikkelijk thuis, Simon. Echt verschrikkelijk. Daarom wil ik graag naar zee. Ik heb echt het gevoel dat ik erheen móét."

Simon geeft een kneepje in mijn schouder en wiegt me een beetje heen en weer. Dan zegt hij: „Oké, dan gaan we morgen samen naar zee. Om tien uur op het busstation, ja? Ik geloof dat de bussen naar Whitness elk heel uur vertrekken, toch?"

„Elk heel en elk halfuur," zeg ik. „O Simon, wil je echt?"

„Ja. Ja. Het wordt vast leuk. We kunnen er de hele dag blijven."

„Weet je zeker dat je wilt gaan?"

„Ja, Fliss... dat heb ik toch al gezegd."

De zoemer gaat, de pauze is afgelopen. We staan allebei op en hij omhelst me gehaast, maar we geven elkaar geen kus. „En vanavond?" fluister ik. „Wil je vanavond iets doen?"

„Nou, als ik de jongens morgen niet zie, ga ik misschien vanavond met ze uit. Je weet wel."

„Heb je dan het gevoel dat je het onmiddellijk weer goed met ze moet maken? Snappen ze het niet als je zegt dat je een afspraak met mij hebt?"

„Ja... ja. Tuurlijk snappen ze dat wel. Maar... je weet wel. Ik wil ze ook graag zien."

„Wat... liever dan mij?"

„Hé, Fliss... kom op. Ik ga de hele zaterdag met je op pad."

Ik slik weg wat ik wilde zeggen. Dat was: „Echt? Zie je ze liever dan mij?"

Toen we net verkering hadden en we nauwelijks konden geloven dat we over zoveel dingen hetzelfde dachten, waren we het met elkaar eens dat jaloezie en bezitterigheid verboden waren. „Als je echt om iemand geeft," zeiden we tegen elkaar, „wil je hem of haar niet vasthouden, wil je niet dat de ander zich naar voelt. Je wilt dat hij of zij vrij is."

Ik geloof dat ik er nu anders over denk.

„Eh... ze zullen er wel van balen dat ik zaterdag niet met ze naar de wedstrijd kan kijken," gaat hij verder. „Dus wil ik vanavond iets met ze afspreken."

Ik laat het even stilvallen. Dan zegt hij: „Is dat oké, Fliss? Ik ga niet lang hoor, maar een paar uurtjes. We moeten morgenochtend vroeg opstaan, toch? Om de bus te halen!"

De laatste zoemer gaat en ik zeg: „Niet te veel drinken vanavond, hè."

Ik weet dat ze veel bier drinken als ze samen uitgaan. Max bestelt het altijd, omdat hij het meeste geld heeft.

„Hoe zou ik nou aan geld komen om te veel te drinken?"

Ik dwing mezelf naar hem te glimlachen. „Oké dan. Zie ik je morgen op het busstation?"

„Yep," zegt hij. „Om tien uur."

„Laat me niet zitten," zeg ik en we lopen allebei de school weer in.

6

De volgende morgen is het grijs en stormachtig. Als ik de thermoskan vul en de broodjes maak, slaat de wind de regen tegen het raam van de keuken en elke keer als er een nieuwe vlaag komt, maak ik een sprongetje. Ik ben zenuwachtig, want ik verwacht elk moment een telefoontje van Simon om het tochtje af te zeggen vanwege het weer.

Zodra ik alles in mijn rugzak heb gepropt, ga ik naar het busstation. Ik ben vroeg, maar ik wil niet langer thuisblijven omdat ik bang ben dat de telefoon zal gaan. Als ik eenmaal buiten loop, voel ik me beter. Als hij nu belt om het af te zeggen, ben ik er niet, toch? Dan moet hij wel komen om het tegen me te zeggen. Hij heeft me nog nooit laten wachten. Het waait nog steeds flink, maar ik weet zeker dat de wind minder sterk is dan zojuist.

Het is pas twintig voor tien als ik bij het busstation aankom. Er is een klein, goor cafeetje dat wordt gerund door een zielig uitziende vrouw met zwartgeverfd haar, veel te zwart voor haar witte gezicht. Het is afschuwelijk binnen, een en al formica en hard licht, maar het is beter dan buiten, waar de wind door je heen snijdt. Ik bestel een kop thee, doe er een grote schep suiker in en ga bij het raam zitten wachten.

Al zit ik nu in dit hol, toch is het fijn vandaag eens ergens anders heen te gaan. En ik hoef niet thuis te zitten.

De zaterdagen waren altijd gezellig en ontspannen bij ons thuis, vol mogelijkheden. Er gebeurde altijd van alles en allerlei mensen kwamen en gingen. Nu zijn de zaterdagen slagvelden. Met stille, bevroren stukken grond ertussen. Zo'n zaterdag voelt als een eeuwigheid, een zaterdag thuis doorkomen is een opgave. Het gaat alleen maar goed als óf pap óf mam weg is. Dan komt de ander tenminste een beetje tot leven en stelt voor fish en chips te halen of met zijn vieren op de bank een film te kijken.

Het is bijna tien over tien, mijn mok is zowat leeg. Ineens tikt Simon tegen het raam van het café. Hij is kletsnat; de regen druipt van zijn smerige, oude parka. Ik ben boos dat hij te laat is, maar ook blij om hem te zien waardoor het me niet kan schelen dat hij te laat is. Ik loop snel de deur uit en bots bijna tegen hem aan.

„Ik weet dat ik te laat ben!" zegt hij, nog voor ik hem ergens van kan beschuldigen. „Ik had je nog gebeld. Ik dacht: geen denken aan dat ze met dit weer wil gaan."

„Het klaart straks wel weer op," zeg ik, met een blik naar de metaalgrijze hemel. „Dat zeiden ze op het weerbericht." Ik weet niet waarom ik het zeg, want het is niet waar. Maar ik moet hem overtuigen, ik moet ons allebei overtuigen.

„Waarom was je zo vroeg de deur uit?" kreunt hij.

„Vroeg? Noem je dat vroeg? Om acht uur opstaan om broodjes en thee te maken, dat is vroeg."

„Dat meen je niet!" lacht hij me uit.

„Dat meen ik wel," zeg ik en ik wijs op mijn rugzak. Eigenlijk was ik al om zeven uur op, omdat ik niet meer kon slapen. Mijn maag zat in de knoop van de angst en de zorgen. Ik was naar beneden gegaan om iets te drinken te pakken. De deur van de woonkamer was dicht en ik hoorde mijn vader erachter snurken. Mijn moeder en hij hadden weer een nacht apart geslapen.

„Wat zit er op het brood?" vraagt Simon knorrig.

„Tonijn en tomaat, en kaas met mayo."

„Hm. We bevriezen in deze wind, Fliss."

„Nee, niet waar. Het wordt hartstikke leuk. Het zal... hoe noem je dat ook alweer... verfrissend zijn. En nou is het strand tenminste lekker bijna leeg."

„Dat is waar. Niemand anders is zo stom om er vandaag heen te gaan."

„Oké Simon, dan gaan we niet! Je zegt het alleen maar om terug te kunnen naar je vriendjes!"

„Niet waar!"

„Nou, waarom doe je dan zo flauw?"

„Ik heb het gewoon koud."

„Wil je gaan of niet?" wil ik weten.

Hij kijkt een paar seconden naar de grond en dan zegt hij zachtjes. „Oké. Kom op."

„Maar ik heb geen zin om te gaan als je de hele tijd vervelend doet!"

„Dat doe ik niet. Kom op, dan kijken we welke bus we moeten hebben."

„We hebben de bus van tien uur al gemist. We moeten nog ruim een kwartier wachten op de volgende."

„Niet zo mopperen, Fliss. Dan hebben we nog wat langer voor het stopt met regenen, toch?"

We zeggen bijna niks tegen elkaar als we onder het kleine afdakje van de bushalte staan te wachten en de wind tegen onze benen zwiept.

Hij heeft gelijk, het slaat nergens op om op zo'n dag als deze naar de kust te gaan, maar ik móét gewoon en ik kan er niet tegen dat Simon dat niet snapt, dat hij alleen maar bezig is met of hij lekker warm en droog blijft. Na een minuut of vijf vraagt hij me of ik gisteravond een of andere film heb gezien op televisie en dan snauw ik: „Nee. Ik zat op mijn kamer met de muziek hard aan, zodat ik mijn vader en moeder niet kon horen ruziemaken." Daarna houdt hij zijn mond.

Maar als we eenmaal achter in de bus zitten, naast elkaar, voelen we ons allebei een stuk beter. Simon komt lekker dicht tegen me aan zitten om warm te worden en ik knuffel hem – dan glimlachen we en zegt hij nog een keer: „Sorry dat ik zo laat was." Al snel zijn we de stad uit en rijden we in de richting van de kust. We kijken naar het sombere, verregende landschap en Simon zegt: „Jemig, ik ben blij dat ik binnen zit, jij niet?" Ik lach, haal de thermoskan te voorschijn en schenk een kop zoete thee voor ons in. Die delen we, met onze monden dicht bij elkaar. We ademen de stoom in en giechelen als een stel kleuters wanneer de bus in de bochten zwenkt en we ons best moeten doen om niet te morsen.

Het valt niet mee om uit te stappen. In de stad was de wind al venijnig, hier is hij woest. Maar het is ook heerlijk. De storm slaat mijn haar alle kanten op en smijt grote, grijze, bruisende golven tegen de kade van het kleine haventje. De zeemeeuwen laten zich voortglijden op de luchtstroom en krijsen boos.

„Kom op," roep ik boven het kabaal van de golven uit. „Laten we naar het strand gaan." Ik pak Simons hand en we zoeken ons een weg over de steile, stenen trap. Het is eb. Na de haven begint er een brede strook strand die doorloopt tot zover je kunt kijken.

„Laten we naar het water lopen!" zeg ik en hij grijnst naar me, omdat hij wil laten zien dat hij best enthousiast is – zijn neus is al rood van de kou. We ploegen ons naar voren tot het punt waar de golven het strand op rollen.

Het is heerlijk. Hier zo staan, het is precies wat ik nodig had. Ik kijk uit over het grote, grijze wateroppervlak dat bedekt is met putjes van de striemende regen, en met rimpels van de wind – het wateroppervlak dat rijst en daalt op het ritme van de golven. Ik kijk naar het bruisen van de golven die breken op de kust en de beklemming laat me een klein beetje los. Ik hoor mezelf ademen. Dan wurm ik me onder Simons arm en zeg: „Zullen we gaan lopen?"

Hij kijkt omlaag, kust me en zegt zachtjes: „Je smaakt zout." We draaien ons een kwartslag om en beginnen naar voren te ploeteren, onze hoofden gebogen tegen de wind. Het geluid van de golven en de wind vult mijn hoofd en we hoeven niets tegen elkaar te zeggen.

Na een tijdje vraagt Simon: „Waar gaan we eigenlijk heen?"

„'k Weet niet. Naar het randje van de wereld. Zoals op die oude kaarten. En dan vallen we eraf."

„Het is ijskoud," klaagt hij. Maar hij houdt zijn arm om me heen en we blijven lopen, op weg naar de klippen die voor ons oprijzen. Mijn gezicht voelt ontveld. Mijn lippen lijken bevroren. Maar ik loop door.

We zijn bij de klippen. Daarachter loopt de kustlijn omlaag. We gaan vlak langs de rotsen lopen en zijn meteen uit de wind. „Hè, hè," mompelt Simon. „Wat een opluchting."

Ik ben er niet zo blij om als hij. Ik mis het overweldigende van het lopen in de volle wind. Maar ik ben blij dat hij blij is.

„Kunnen we niet even pauzeren om een boterham te eten?" vraagt hij.

„Simon! Het is nog niet eens twaalf uur!"

„Ik weet het, maar ik sterf van de honger. Ik heb haast niet ontbeten. Alleen maar een banaan. Omdat ik te laat was."

„Nou, dat was je eigen schuld."

„Jouw schuld! Omdat jij zo vroeg van huis ging!"

Plotseling sta ik stil en kijk hem woedend aan. „Was je dan liever niet gegaan? Bedoel je nou dat je had gehoopt dat ik wel thuis was geweest, zodat je had kunnen afzeggen?"

„Nee," zegt hij grappig, maar ook ongeduldig – alsof hij mijn gezanik zat is. „Kom op, laten we een plekje zoeken waar we kunnen gaan zitten om thee te drinken. Ik moet even ontdooien."

We lopen verder. Omdat het aan deze kant van de rotsen veel beschutter is, komen er meer mensen op dit stuk strand. Dat is te zien. Overal langs de vloedlijn, daar waar de zee op z'n verst komt, ligt een slordige lijn van plastic zakken en flessen en rommel.

„Moet je kijken," zeg ik. „Is het niet verschrikkelijk?"

„Ja," zegt Simon ongeïnteresseerd.

„Weet je wat ik zou willen doen? Ik zou een ontzettend grote stofzuiger willen halen, een industriële stofzuiger, zo een waar je op kunt zitten – en dan zou ik ermee over het strand rijden en al die plastic zooi opzuigen."

„Dan zou je alle krabben ook opzuigen."

„Nee, niet waar. Want er zou een... een soort sensor in zitten waardoor hij alleen plastic zou opzuigen. Zie je het voor je? Het zou geweldig zijn, om al die rotzooi op te ruimen, op alle stranden ter wereld. Plastic is een serieuze bedreiging voor het leven in zee, wist je dat? Het verteert niet en als zeevogels of andere dieren het per ongeluk aanzien voor voedsel, kunnen ze ervan doodgaan; ze raken vergiftigd of stikken erin of zo..."

Simon luistert niet. Ik verveel hem. Toen we elkaar net kenden, zou hij met me zijn meegegaan in de fantasie, had hij er dingen bij verzonnen, was hij erop doorgegaan. Dat was een van de redenen waarom ik hem zo leuk vond, omdat hij om de natuur en het milieu en dat soort dingen gaf.

Maar nu is hij alleen geïnteresseerd in het vinden van een goed plekje om zijn kopje thee te drinken. „Kijk... daar," zegt hij. „Bij die grote rots. Daar zitten we uit de wind."

Het zand is vochtig als we gaan zitten, maar we zeggen er geen van beiden iets over. Ik pak de thermoskan, schenk een kop thee in en geef hem aan Simon.

Berustend buigt hij zich over zijn thee. „Het regent weer."

„Oké," zeg ik en ik voel weer een brok in mijn keel, alsof ik er ieder moment in kan stikken. Hij is verpest, de hele dag is verpest. „Laten we het opdrinken en brood eten en dan gaan we terug. Goed?"

Het blijft even stil en dan mompelt hij: „Weet je het zeker?"

Als reactie trek ik de zak met broodjes open, geef er een

aan hem en begin een andere in mijn mond te proppen. Ik heb helemaal geen trek, maar ik moet net doen alsof het goed met me gaat, ik moet net doen alsof de dingen gaan zoals ik wil dat ze gaan.

„Ik bedoel... als je nog meer van de zee wilt zien, kunnen we verder gaan, Fliss. Wat heb je trouwens met de zee?"

Ik schud mijn hoofd terwijl ik zit te kauwen. Ik ben bang dat ik begin te huilen als ik dat aan hem zou uitleggen en ik geloof dat hij mijn gehuil zat is.

En dan begint het echt te regenen. Het komt met bakken naar beneden, emmers vol. We drukken onszelf tegen de rotsen, maar je kunt er niet écht onder schuilen. De regendruppels kaatsen als kogels terug op de rotswand en stromen over onze gezichten.

„O, jemig," kreunt Simon. „Kom op, we nokken."

Terwijl we langs de kustlijn worstelen, krijg ik hetzelfde hopeloze, mislukte gevoel als ik met kerst had. Andere mensen hadden hier vast een fantastisch uitstapje van gemaakt, romantisch. Het zou niet geregend hebben, en als het wel had geregend, zouden ze ervan hebben genoten, dan hadden ze op de een of andere manier toch plezier gehad. Ze zouden lachend hand in hand zijn teruggerend. Ze zouden gelukkig zijn geweest.

Wij zijn niet gelukkig. Het gezicht van Simon is helemaal vertrokken en lelijk door de regen die op hem in hakt. Het is helemaal mislukt. Ik weet dat hij eraan denkt hoe hij warm en droog naar de voetbalwedstrijd had kunnen kijken.

Het kost ons twintig minuten om terug naar de haven te komen. Aan de overkant van de weg is een sjofele, verlopen pub waar je iets kunt eten tussen de middag. Het is licht binnen... het ziet er warm uit. „Zullen we?" vraagt Simon.

Ik schud mijn hoofd. Ik weet dat het volzit met zure volwassenen die medelijdend naar ons zullen kijken. Nóg een vernedering, en die zou ik niet meer kunnen verdragen. „We zijn te nat," zeg ik schor. „Laten we maar naar de bushalte gaan."

We moeten bijna twintig minuten op de bus wachten die ons mee terug zal nemen. Eerst houden we elkaars hand vast, maar het is zo koud dat we ze in onze zakken stoppen. Ik wacht tot we in de bus zitten en dan zeg ik: „Hé... sorry. Ik wilde zo graag naar zee, weet je."

„Nou, je bent er geweest."

„Ja. Bedankt nog."

De bus rijdt verder en we zwijgen. Het is niet gezellig zoals op de heenweg, omdat we te nat zijn en ons te ongemakkelijk voelen. Simon niest twee keer en zegt: „Als ik verkouden word en dood ga, is het helemaal jouw schuld," en ik doe mijn best om te lachen maar het komt er niet overtuigd uit.

Als we bij het busstation zijn, moeten we allebei een andere kant op naar huis. Simon neemt heel snel afscheid van me, geeft me nauwelijks een kus. En ik weet dat dat komt omdat hij snel naar Tom zal racen om te kijken of zijn vrienden er nog zijn. Ik hoop dat hij nog iets wil afspreken voor vanavond, maar dat doet hij niet. Hij zegt alleen maar: „Ga gauw naar huis en neem een heet bad, Fliss, oké? Ik bel je wel, goed?" en dan loopt hij snel weg.

7

Als ik de voordeur opendoe, komt mijn moeder net de keuken uit gelopen. „Fliss! Je bent drijfnat! Moet je eens zien... je rilt! Kom op, trek die natte spullen uit... ik laat het bad alvast voor je vol lopen."

Ze helpt me mijn jas uit te trekken en dan rent ze naar boven. Meteen hoor ik de kraan lopen. Het is fijn, alsof ik weer klein ben en iemand zich druk om me maakt. Alleen zit er een steen in mijn maag en ik weet niet meer waar die vandaan komt... gaat het om pap en haar, of om Simon en mij, of gewoon om alles? „Wil je warme chocolademelk?" vraagt ze als ze de trap weer af komt. „Dan kun je dat in bad opdrinken. Ik breng het zo wel. Doe de deur maar niet op slot."

Als mijn moeder met twee bekers de badkamer binnen komt, lig ik tot aan mijn nek in naar vanille geurende zeepbellen en doe mijn best om mijn spieren te ontspannen. Ze geeft een van de bekers aan mij, doet vervolgens de klep van de wc omlaag en gaat erop zitten. „Flissy, hoe gaat het met je?" vraagt ze en ze neemt een slokje uit haar beker.

Ik laat me dieper in het water zakken en denk aan alle dingen die ik zou kunnen zeggen. „Best," mompel ik.

„Gaat het goed met Simon en jou?"

„Ja."

„We zien hem tegenwoordig niet meer zo vaak."

Nou, ik heb helemaal geen zin om hem uit te nodigen in dit oorlogsgebied, denk ik. Mijn moeder lacht droevig, alsof ze mijn gedachten kan lezen en zegt: „Ik weet dat het de laatste tijd moeilijk is."

„Dat is een beetje zacht uitgedrukt," flap ik eruit.

„Ik weet het, ik weet 't. Oké, het was afschuwelijk. Maar... hoor 'ns... het wordt beter."

„O ja?" Ik wil haar geloven, echt waar. Ik wil tegen haar zeggen wat mijn vader me heeft verteld, dat het voor hen al te laat is om het weer bij te leggen. Ik wil dat ze zal zeggen dat dat onzin is.

Ik kijk naar haar en zie voor het eerst de wallen onder haar ogen en de harde trek rond haar mond. Ze zucht diep en zegt: „Ja, echt. We moeten gewoon nog wennen aan dat ik nu werk. Ik wil echt dat het bedrijf van de grond komt en je vader... ik vind niet dat je vader me erg steunt."

„Maar hij komt zo laat thuis. Van zijn werk."

„O, ik weet wel dat hij hard werkt. Dat laat hij me vaak genoeg weten. Het is heus niet zo dat ik van hem verwacht dat hij ineens het hele huishouden gaat doen of zo. Maar ik vind wel dat hij ook iets voor zijn rekening kan nemen. Of dat hij op zijn minst niet aldoor zo'n nare sfeer moet scheppen, alsof ik iedereen in de steek laat omdat het een rotzooi is in de keuken of omdat er geen melk meer is..." Ze zwijgt, kijkt me aan en krijgt nog net een glimlachje voor elkaar. „Sorry. Ik zou niet zo tegen je moeten klagen. Ik dacht gewoon... ik wilde met je praten. Je weet wel."

Ik zucht diep en denk aan hoe mijn vader die ene avond

deed, aan hoe hij flipte, en ik zeg zachtjes: „Het heeft er niet alleen mee te maken dat jij werkt, hè mam?"

„Wat bedoel je?"

„Ik bedoel… het lijkt wel of pap en jij helemaal niet meer met elkaar kunnen opschieten tegenwoordig."

Ze schommelt zachtjes heen en weer en neemt nog een slokje uit haar beker. „Ik weet het. Ik doe mijn best, Felicity. Echt. Maar hij is zo prikkelbaar… gespannen. O, ik weet het niet. Het komt goed. We zijn gewoon op een… hoe heet dat ook alweer? Op een keerpunt. We moeten uitzoeken waar we samen heen willen, wat we precies willen…"

Onder mijn vanilleschuim ben ik half opgelucht, en krimp ik half ineen. Ze praat als een tiener, zoals ik tegen Simon praat. Wat bedoelt ze met 'waar we samen heen willen'? Ze is toch híér, met mijn vader? Waarom kunnen ze niet gewoon hier zijn, zoals ze eerst waren?

„Weet je, het wordt anders nu jullie ouder zijn," zegt ze. „Ik heb nu tijd om de balans op te maken, om even diep in te ademen en er voor de verandering eens over na te denken wat ík wil. Wanneer je kleine kinderen hebt, ga je maar door. Je doet gewoon wat je moet doen om de dag door te komen en te zorgen dat het goed gaat met iedereen en dat het geld blijft binnenkomen. En dat is moeilijk. Weet je, in die tijd, toen jullie allemaal nog klein waren, werkten we allebei zo hard als we konden. Dat deden we. Je vader sloofde zich uit op zijn werk en reisde veel en ik hield de zaken thuis draaiende. Weet je nog dat we verhuisden?"

„Ik weet nog dat we hier kwamen wonen. Het was afschuwelijk."

Mijn moeder glimlacht weer droevig. „Ik weet het. Het duurde eeuwen voor je was gewend op je nieuwe school. Ik weet nog dat ik huilde van opluchting toen je voor de eerste keer een vriendinnetje mee naar huis nam. Hoe dan ook. Dat was de derde keer dat we verhuisden, Fliss, sinds jouw babytijd."

„Ik weet het nog," zeg ik zachtjes. „Van de foto's."

„Het is verdomd hard werken om uit je vertrouwde omgeving weg te gaan, een huis op te knappen, een nieuwe dokter te zoeken, een peuterspeelzaal en een nieuwe school, nieuwe vrienden te maken..."

„Waarom zei je dan niet dat je het niet wilde?"

Ze haalt haar schouders op. „Ik had niet veel keus. Je vader kreeg steeds prachtige banen aangeboden en dat betekende verhuizen, klaar uit. En op een grappige manier was het oké, was het wat ik wilde. En we deden het samen, snap je? Het was alsof... we waren op de weg omhoog, elke keer een groter huis, meer geld... ik weet het niet. We waren waarschijnlijk veel te veel bezig met de toekomst. Met hoe het zou moeten worden. Maar we keken tenminste allebei dezelfde richting op."

Ik dwing mezelf te vragen: „Was je in die tijd gelukkiger?"

Mijn moeder staart naar de muur van de badkamer. „Ik weet het niet. Ik geloof niet dat we erover nadachten. Je vader was soms erg down, overwerkt en gespannen en dan kalefaterde ik hem weer op, zorgde voor hem, zei tegen hem dat alles snel weer beter zou gaan. Weet je, op een avond gaf ik hem een nekmassage en ik weet nog dat ik toen dacht: doe je dit nu omdat je van hem houdt of doe je het omdat hij al het geld verdient en je hem overeind moet zien te houden?”

„En wat was het?”

„Weet ik niet precies. Allebei, eerlijk gezegd. Weet je... we moesten doorgaan. Er was geen ruimte voor iets anders. Als ik griep had, kon ik niet in bed blijven liggen, maar moest ik toch opstaan en voor jullie zorgen. Geen familie in de buurt die helpen kon, geen goede vrienden. Soms was ik ook heel down. Dan had ik het gevoel dat ik stikte in de sleur... de wasmachine volstoppen, vissticks bakken, andermans billen afvegen... nou ja, alleen die van jullie drie.” Ze lacht een beetje snuivend, maar ik kan niet met haar meelachen. Het water wordt koud en de steen zit nog steeds in mijn maag. Ik ben blij dat we eindelijk praten maar ik ben ook bang, bang voor wat ze straks zal zeggen.

„Je vader zag nooit dat ik het net zo moeilijk had als hij,” gaat ze verder. „Ik weet nog dat ik hem vertelde dat ik gillend gek werd thuis en hij niks anders wist te zeggen dan: ‘Je moet het volhouden tot Phoebe naar school gaat.’ Alsof ik mijn gevoel tot die tijd kon uitstellen.”

„Waarom nam je niet iemand in dienst die voor ons zorgen kon?”

„Dat wilden we alle twee niet. Kijk, je moet me goed begrijpen, Felicity, het was niet allemaal vervelend. Ik vind het heerlijk om bij jullie drie te zijn. Ik vond het heerlijk om er al die speciale momenten te zijn, om verjaardagstaarten te bakken en te gaan picknicken... dat was toch altijd leuk?”

Ik knik en mijn moeder gaat verder. „Ik zou het niet anders hebben willen doen. Het is alleen... je weet wel. Af en toe moet je iets veranderen."

Het is stil en ik bedenk dat ik moet zeggen dat het water koud is geworden en dat ik het bad uit wil – mijn moeder zucht en zegt: „Alleen is het net alsof mijn verandering voor hem een stap terug is. Terug naar de dagen dat hij thuiskwam in een huis dat eruitzag alsof er een bom was ontploft en waar ik uitgeput in rondliep. Hij snapt het gewoon niet... dat ik dit gewoon móét doen. Weet je wat hij pas nog tegen me zei? Ik zei hem dat ik een schoonmaakster wilde zoeken om het huis eens in de week een goede beurt te geven en toen zei hij: 'Maar je verdient zelf minder dan een schoonmaakster.' Dus zette ik mijn tanden op elkaar en zei: 'Maar dat gaat binnenkort veranderen. Als ik het bedrijf eenmaal goed op poten heb, zou ik aardig wat kunnen gaan verdienen.' En weet je wat hij zei?"

„Nee," mompel ik, hoewel ik het wel zo'n beetje raden kan.

„Hij zei: 'Nou, zodra je net zoveel verdient als een schoonmaakster, kun je je gang gaan.' Echt, hij is zo'n... het draait alleen maar om geld. Hij steunt me niet."

Het is stil. Ik heb het echt koud nu, maar ik wil me niet bewegen.

Dan vermant mijn moeder zichzelf, staat op, pakt een grote handdoek van de radiator en geeft hem aan mij. „Sorry, Fliss. Ik zou er niet met jou over moeten praten. Het is niet jouw probleem."

Ze loopt de badkamer uit en doet de deur achter zich dicht. Ik blijf achter en denk: niet mijn probleem?

Hoe kan iemand zó stom zijn?

8

's Avonds wacht ik tot Simon me belt. Ik houd het uit tot kwart over zeven. Dan bel ik hem. Ik krijg zijn moeder aan de lijn. Ze zegt: „Hij is er niet, Felicity. Hij is naar Tom om naar de wedstrijd te kijken."

„Maar die is al uren afgelopen!" flap ik eruit.

„Ach, je weet hoe die jongens zijn als ze bij elkaar zijn. Waarschijnlijk zijn ze ergens een hamburger gaan halen of iets dergelijks."

Ik adem diep in en zeg dan: „Hebt u het nummer van Tom?"

„Eh... nee," antwoordt ze en ik weet dat ze liegt. Ze wil het gewoon niet geven. Ze vindt me veel te bezitterig. „Ik zal hem vragen of hij je belt als hij terug is, goed?"

„Ja, graag," mompel ik.

Ik leg de telefoon neer en ga met grote passen de woonkamer in, ruk de afstandsbediening uit de handen van Alexa, negeer haar protestkreet en begin als een waanzinnige te zappen.

O fijn, Simon, denk ik. Geef al je geld maar uit met je vriendjes zodat je niets meer hebt om uit te geven als wij samen iets gaan doen. Breng de zaterdag maar door met je vrienden, terwijl ik hier naar die achterlijke tv zit te kijken.

En je moeder kan ik ook niet uitstaan. Zoals ze zei dat je een hamburger was gaan eten. Alsof het haar plezier deed.

Ik staar nietsziend naar het scherm en denk: hoe kan het ooit werken tussen een man en een vrouw? Mannen deugen niet. Monogamie deugt niet. Waarom is Simon niet iets volwassener? Ik wil een volwassen relatie, niet met een of ander stom jochie dat liever met zijn sukkelige vriendjes omgaat dan met mij. Ik wil dat hij mij wil, dat hij me echt wil en niemand anders, dat hij geen ruimte meer heeft voor anderen.

Wat is er met hem gebeurd? Toen we net verkering hadden, was hij helemaal gek op me, hij kon me niet vaak genoeg zien. Hij zei altijd: „Ik kan het gewoon niet geloven. Je bent echt mijn vriendin." En dan vertelde hij me over de tijd dat hij me 'uit de verte had aanbeden', toen hij bang was dat ik nooit met hem zou willen omgaan.

En nu zijn we in een sleur terechtgekomen. Suffe routine. Als we met elkaar naar bed zouden gaan, zou het vast anders zijn, toch? Dan zou hij niet ergens anders rondhangen om voetbal te kijken en had hij niks te zoeken in zo'n stomme hamburgertent.

„Fliss? Hoi. Met Simon."

Het is half tien. Hij heeft gewacht tot zaterdagavond half tien voor hij míj belt.

„Hoi," zeg ik effen.

„Mijn moeder zei dat je had gebeld."

„Ja. Drie uur geleden."

„O, oké. Die wedstrijd was te gek, Fliss. Ik heb de tweede helft bijna helemaal gezien. Ze zijn in de pan gehakt."

„Mooi."

„Zeg... sorry dat ik niet eerder heb gebeld."

Ik zeg niets.

„We zijn pizza gaan eten en hebben toen een paar biertjes gepakt... je kent het wel."

Hij klinkt heel tevreden over zichzelf, met zijn 'een paar biertjes gepakt'. Hij en die vrienden van hem. Stomme, onvolwassen knulletjes. Ik zeg nog steeds niks en haat hem.

„Hé... doe niet zo flauw, Fliss. Wil je nog uit?"

„Nu nog? Een beetje laat, vind je ook niet?"

„Ja," ademt hij uit, helemaal opgelucht. „Vind ik ook. Ik ben kapot. Al die zeelucht."

Ik weet wat hij daarmee wil zeggen. Hij wil me eraan herinneren dat we vanochtend naar zee zijn geweest. Mij even inwrijven wat hij allemaal wel niet voor me over heeft. Plotseling wil ik weg van de telefoon. Ik heb geen zin meer in dit soort spelletjes. „Zeg, ik moet gaan," zeg ik. „Ik zie je maandag, goed?"

„Ja," reageert hij. „Tot dan, Fliss."

Ik had kunnen zeggen dat ik zondag wilde afspreken, maar dan heeft hij meestal zo'n uitgebreid, griezelig familie-etentje, met vlees uit de oven en ooms en tantes en goede vrienden van zijn ouders. Ik kan me de moeite besparen om te vragen of ik ook in het programma pas.

Ik leg de hoorn neer zonder echt dag te zeggen, ga naar mijn kamer en zet *La Traviata* op. Ik zet de muziek heel hard. Dan ga ik verstijfd op bed liggen en wacht tot het gebeurt, wacht tot dat shitgevoel weer verdwijnt. Sinds mijn twaalfde heb ik iets met opera. Vooral met zangeressen, met diva's. Ik vind het heerlijk als ze hun mond opendoen en hoog gillen. Dat klinkt bijna alsof ze elk moment kunnen openbarsten door de kracht die ze voortbrengen, maar het gebeurt nooit. Als ik naar hun gezang luister, schud ik er letterlijk van, dan voelt het of ik open zal barsten, of ik zal opensplijten en hun geluid me zal vullen.

Ik lig en luister. Ik ken deze opera. Ik weet wat er komen gaat. Ik begin met de muziek mee te stijgen en te zweven, en al snel is er geen plaats meer in mijn hoofd voor iets anders. Het is net alsof de muziek me geneest, alsof het me beter maakt. Mijn geest zweeft vrij... de steen in me verdwijnt, ik wacht tot ik word opengescheurd en meegesleept. Ingespannen luister ik naar iedere noot. Maar er is iets mis. Er klinkt een irritant, snerpend geluid door de muziek heen, een geluid dat er niet hoort te zijn. Ik probeer het te negeren, wil me laten meevoeren op de vlucht, maar het lukt niet meer, het is verpest.

Ik sta op en zet de muziek zacht, dan loop ik naar de deur en luister naar wat er in de gang gebeurt.

„In vredesnaam, Stephanie... het is zaterdagavond. Hou je dan nooit eens op?"

„Luister nou even... ik wil het nu allemaal geregeld hebben. Nu je hier bent. Wat toch een zeldzaamheid is tegenwoordig, hè?"

„Begin nou niet weer. Net of dit tegenwoordig zo'n fijne plek is om thuis te komen!"

„O, hou toch op. Luister. Het enige wat ik van je vraag, is om op dinsdag twee uur eerder thuis te komen, zodat je patat kunt halen en de meisjes niet de hele avond alleen zijn..."

„En ik zeg je net dat ik niet kan. Kan Felicity het niet doen?"

„Die doet al genoeg. Ze helpt me altijd. En ze heeft heel veel werk voor school te doen... het is niet eerlijk ten opzichte van haar. Daarom vraag ik het aan jou!"

„Ik heb te veel aan mijn hoofd."

„Je hebt altijd te veel aan je hoofd!"

„Dat klopt. Daardoor breng ik het salaris in dat ik verdien. Dit is jouw probleem, niet het mijne."

„O, nou wordt-ie helemaal mooi! Dus je kinderen zijn jouw probleem niet."

„Verdraai niet wat ik zeg. Als je denkt dat je een bedrijf kunt beginnen, pak het dan iets professioneler aan. Organiseer wat back-up."

„Nee, dat is een goeie! Vorige week werd je nog kwaad op me omdat ik een schoonmaakster wilde inhuren..."

„Ik heb het ook over een oppas."

„Verdomme, Martin, het zijn ook jouw kinderen! Dit was een opdracht waar we niet op hadden gerekend... ik vraag je alleen of je me wilt helpen..."

„Je luistert niet naar me. Ik kan je niet helpen."

„Sla niet zo'n arrogant toontje tegen me aan, ongeïnteresseerde zak! Al die jaren dat ik jou steunde, dat ik je eindeloos liet zeuren over je baan, dat je de halve zaterdag in bed lag, terwijl ik er alles voor gegeven zou hebben om even vrijaf te hebben van de kinderen..."

„O, in 's hemelsnaam, hou je mond. Ik verdiende het geld, jij deed het huishouden en zorgde voor de kinderen. Dat was de afspraak. Ik kan me niet herinneren dat je ooit klaagde over het geld dat ik iedere maand binnenbracht."

„Ik word ziek van je, weet je dat? Bij jou draait het alleen maar om geld, geld, geld."

„Probeer maar eens zonder te leven, Stephanie."

Hij zegt haar naam alsof hij walgt van de klank in zijn mond. Ik loop achteruit door mijn kamer, zet de muziek uit, stap in bed met al mijn kleren nog aan en stop mijn hoofd onder het dekbed. Ik wil niks meer horen.

Het maakt niet uit wat ze zeggen. Het maakt niet uit wie de ruzie wint. Ze zullen het nooit met elkaar eens worden, nooit. Ze haten elkaar te erg. Het klinkt door in alles wat ze zeggen, in hun stemmen. Ze haten elkaar.

9

Maandag in de pauze komt Simon naar me toe. Ik sta een beetje afzijdig van het groepje meisjes rondom Liz, die allemaal honderduit kletsen over een feestje waar ze in het weekend naartoe zijn geweest. Simon steekt een arm uit alsof hij die om me heen wil slaan. Dan laat hij hem vallen en steekt zijn andere hand, waar hij een zakje chips in houdt, omhoog. „Wil je er eentje?"

Ik neem er een, maar ik glimlach niet. Hij voelt zich blijkbaar schuldig en dat doet me goed. Ik ben zo blij hem te zien dat ik er bang van word. Hij knikt met zijn hoofd de andere kant op, weg bij Liz haar groepje, en dan schuifelen we zo'n beetje weg en lopen het uitgesleten paadje langs de tennisbaan af. Daar kun je niet zitten, maar het is tenminste een beetje privé.

„Ik heb een uitnodiging voor je," zegt hij en hij ziet er enorm tevreden uit.

„Ja? Waarvoor?"

„Voor Burns' Night."

„Voor wat?"

„Je weet wel, William Burns, die oude Schotse dichter uit de negentiende eeuw. Er is een speciale avond aan hem gewijd. Op zijn verjaardag. Volgende week, op vijfentwintig januari. Mijn vader zei dat we er een echte slemppartij van kunnen maken, omdat niemand de volgende dag vroeg hoeft op te staan."

„Bedoel je dat we iets met je ouders gaan doen?"

„Ja Fliss, het is Burns' Night. Een echt Schots feest. Mijn moeder kookt dan haggis en 'mashed tatties en neeps'..."

„Wát? Dat klinkt goor."

„Het is gewoon stamppot van aardappels en koolraap. Best lekker. Haggis is ook oké, als je er eenmaal aan gewend bent. Mijn oom Andrew haalt zijn kilt te voorschijn en leest onzingedichten voor en iedereen zuipt zich klem aan de whisky."

„Klinkt geweldig," zeg ik sarcastisch.

„Nou, het is eigenlijk best geinig. Als je ziet hoe ze zichzelf voor schut zetten. Maakt niet uit wat ik ervan vind, trouwens. Ik heb geen keus. Het zou net zoiets zijn als er niet bij zijn met kerst. Ze maken er dit jaar echt een feest van en mijn moeder zei dat ik jou ook mocht vragen."

Ik schuif wat met mijn voet over de grond heen en weer. Ik heb zin om dwars te liggen. „Ik doe liever iets anders op vrijdag. Als we elkaar zaterdag niet meer kunnen zien..."

„O, Fliss... hou daar eens over op! Ik heb toch al gezegd dat het me speet! Hoor eens, we spreken deze week vrijdag én zaterdag met elkaar af, goed?"

„Jemig, je moet jezelf niet forceren, hoor!"

„Dat doe ik niet! Waarom ben je zo chagrijnig?"

„Nergens om."

„Kom op, Fliss, kop op." Hij probeert zijn arm om me heen te slaan, maar ik duw hem weg. „Wat is er?" zegt hij.

„O, niks," zeg ik wat toegeeflijker. „Alleen... Burns' Night met je ouders klinkt niet bepaald als het opwindendste ter wereld."

„Weet ik. Maar echt... ze doen me wat als ik niet ga. Dan blijft mijn vader zeiken dat ik mijn Schotse afkomst verloochen. Echt, het is het niet waard."

„Sjongejonge, Simon. Moet je nou echt alles doen wat zij willen?"

Hij krijgt onmiddellijk die blik in zijn ogen, een combinatie van gekwetst zijn en zich willen verdedigen. Hij haat het als ik suggereer dat hij zwak is, niet mans genoeg om voor zichzelf op te komen. „Nee," zegt hij. „Helemaal niet. Maar ik zou ze echt heel erg kwetsen als ik er niet bij zou zijn, tenzij ik een heel goed excuus had."

„En ik ben geen goed excuus?" Ik weet dat ik alles verpest, ik verpest het laatste restje pauze samen, maar ik kan er niet mee ophouden.

„Nou... ze hebben toch gevraagd of je ook wilt komen?"

De zoemer gaat – de pauze is afgelopen.

„Kom je nou?" vraagt hij.

„Ik zal erover nadenken," mompel ik.

Het wordt woensdagavond en ik heb geen zin om naar Simon te gaan. Ik weet niet echt waarom, eigenlijk. Ik ben gewoon kwaad op hem, omdat hij me als te vanzelfsprekend behandelt, terwijl ik vind dat hij onze relatie als iets heel bijzonders zou moeten zien. Hij heeft er niks over gezegd dat we binnenkort zes maanden verkering hebben. Ik kan haast niet geloven dat hij het vergeten is. Ik weet niet wat ik zou doen als hij het echt zou vergeten.

Uiteindelijk ga ik toch naar hem toe, natuurlijk. Het is gewoon te afschuwelijk thuis. Thuis. Ik denk er niet eens meer aan als 'thuis'. Je huis moet een soort nest zijn, toch? Een plek waar je je veilig voelt, niet een omgeving waar je misselijk wordt van narigheid.

Mijn moeder heeft een grote opdracht voor vrijdagavond en ze stopt al haar frustratie over mijn vader in de voorbereidingen. Ze bakt en vriest in als een waanzinnige. Ze neemt Alexa en Phoebe op sleeptouw en laat hen kleine deegbakjes vullen met een pikante smurrie, zodat ze denken dat ze helpen. Mij kan ze zo niet meer troosten. Ik kan trouwens niet tegen het wachten. Het wachten op mijn vader. En ik kan er ook niet tegen dat mijn moeder aldoor op haar horloge kijkt, zijn mobiele telefoon belt en bijtende boodschappen achterlaat als hij niet opneemt…

„Zo, hoe gaat het, Flissie?" vraagt Simon. Het is zo fijn om zijn armen om me heen te voelen. Ik vergeet dat ik eigenlijk boos op hem ben. Ik trek zijn hoofd omlaag naar het mijne en kus hem alsof ik honger heb.

„Jemig," zegt hij als hij zijn hoofd terugtrekt. Hij glimlacht. „Wat is er met jou aan de hand?"

„Ik heb je gemist," zeg ik. „Ik zie je haast nooit meer."

Die verschrikkelijke, verdedigende, gejaagde blik trekt weer over zijn gezicht en hij zegt: „O, kom op, Fliss… we zien elkaar toch wel!"

„Niet genoeg. En we zien elkaar nooit alleen. Ik bedoel… kijk, nu wachten we weer tot je moeder binnen komt stormen. Of we zijn in de bioscoop, of we gaan wandelen, of…"

Hij legt me het zwijgen op en kust me nog een keer.

„Zou je niet gewoon samen weg willen, Simon?" vraag ik zuchtend.

„Hoezo? Een soort vakantie?"

„Ja, zoiets. Gewoon weg. Zodat we alleen kunnen zijn."

„Hm... ja. Tuurlijk zou ik dat willen."

„Waarom doen we het dan niet?"

„Waar zouden we dan naartoe moeten?"

„We zouden een weekendje weg kunnen gaan. Iets goedkoops. Misschien in een jeugdherberg."

„Wat zeggen we dan tegen je ouders?"

„We liegen gewoon."

Hij weet niks meer te zeggen. Het plan klinkt hem onecht in de oren. Hij weet toch dat we het niet zullen doen. Ik wil verkering met iemand hebben die het wel zou doen.

„Oké," zegt hij. „Laten we daar even over nadenken."

Dan legt hij zijn mond weer op de mijne en al snel strelen zijn handen over mijn borsten en gaan we op bed zitten vrijen met kleren aan. We durven geen knopen of ritsen open te maken omdat zijn moeder elk moment de kamer in kan rennen. Hij probeert zijn hand aan de voorkant van mijn spijkerbroek naar binnen te schuiven maar die zit te strak – zijn hand blijft steken en hij moet echt trekken om hem los te krijgen.

„Hier is het hopeloos," kreun ik. „Zou het niet geweldig zijn om ergens heen te gaan waar we... helemaal vrij zouden zijn?"

Simon tilt zijn hoofd op en kijkt me aan. „Bedoel je wat ik denk dat je bedoelt?"

Ik durf niet hoger te kijken dan zijn linkerschouder. „Ja," zeg ik. „Jij wilt toch ook?"

„Já! Jemig... ja! Tuurlijk wil ik dat, Fliss! Jemig!"

Zijn woorden geven me een opkikker, ik voel me er beter door. Hij wil me, hij wil me echt, dat moet wel. Ik leg mijn hoofd op zijn schouder en zo blijven we naast elkaar op bed zitten.

Die avond praten we niet meer over naar bed gaan met elkaar. Niet dat we het er echt over hebben gehad, maar we weten allebei dat we het willen. We luisteren naar muziek, kletsen, houden elkaars hand vast. Het is net alsof er iets nieuws tussen ons is. Een speciale band, een beslissing die we samen hebben genomen. Om een uur of negen klopt zijn moeder op de deur en vraagt of we een kopje thee willen. Ze vraagt gelijk of ik op hun suffe Burns' Night kom en ik zeg: „Ja graag, mevrouw Addisson. Als het mag."

De volgende dag komen Simon en ik elkaar in de gang tegen. We glimlachen, lopen door en zeggen niets. Het is net alsof het er nog steeds is, de band, de afspraak dat we met elkaar naar bed zullen gaan. Ik voel me helemaal warm en blij als ik het scheikundelokaal in loop, maar dan gebeurt er iets mafs. Er komt een ander gevoel boven, een plotseling, verschrikkelijk gevoel van verdriet, van weemoed of iets dergelijks. Het schiet door mijn hoofd dat ik verliefder op hem zou willen zijn. Ik zou me zo willen voelen als de zingende heldin van *La Traviata* – met sterretjes in mijn ogen en jubelend en smoorverliefd en dat ik aan niks anders dan aan hem zou denken.

Ik schud het gevoel snel van me af. Ik sla mijn boeken open en help bij het klaarzetten van alle spullen die we voor een experiment nodig hebben, en ik denk: geen enkele jongen is perfect, toch? Opera is voor op het podium. En die meisjes die maar niet kunnen ophouden met roepen hoe verliefd ze zijn en wat voor geweldige vriendjes ze hebben, die zijn gewoon onvolwassen. Die houden zichzelf voor de gek. Simon en ik... onze relatie. Die is oké, die is echt.

Vrijdagavond gaan we naar de bioscoop. We gaan er gewoon heen zonder van tevoren te kijken wat er draait. Er blijkt niets te zijn wat we echt graag willen zien. Ik wil nog een poging wagen een film voor boven de zestien binnen te komen, maar Simon zegt dat hij de moeite niet eens wil doen. Ik weet wel waarom. Het is omdat hij er zo jong uitziet voor zijn leeftijd en hij niet zeker weet of hij de zaal in komt. In het weekeind zijn ze altijd strenger en Simon kan niet goed bluffen: dan wordt hij helemaal rood en ziet er nog jonger uit dan anders. Uiteindelijk blijkt dat er nog maar voor één film kaartjes zijn. We weten niets anders te doen, dus kopen we samen een zak popcorn en gaan ergens halverwege de zaal zitten.

Het is een derderangsfilm, maar ik dwing mezelf geconcentreerd te kijken. Ik wil niet dat mijn gedachten afdwalen. En ook al is het allemaal maar slappe erotiek, je snapt toch wel wat er gebeurt. Ik raak ongelofelijk opgewonden en geneer me tegelijkertijd. Simon zit doodstil naast me. Ik weet zeker dat hij zich zorgen maakt over de soepele manier waarop de mannelijke hoofdpersoon te werk gaat. Ik weet zeker dat hij bang is dat hij daar niet tegenop kan.

Na de film lopen we langzaam naar huis. Er sjouwen allemaal mensen zigzaggend door de stad, veel verstrengelde stelletjes, dronken en lawaaiig. Er hangt een soort opgewonden sfeer. Het is net alsof Simon erdoor wordt aangestoken. Hij trekt me een van de steegjes in en meteen staan we tegen een muur geleund te kussen. Dan heeft hij zijn hand onder mijn trui en al snel glijdt hij over mijn rug en probeert hij mijn bh los te maken.

„Hé, waar ben je eigenlijk mee bezig?" sis ik half lachend.

„Kom op," zegt hij. „Ik dacht dat jij degene was die verder wilde..."

„Niet op straat. Getver."

Hij laat zijn handen zakken en kijkt me aan. „Volgens mij zijn mijn ouders morgenavond niet thuis," zegt hij zachtjes.

Plotseling voel ik me in een hoek gedreven. Plotseling heb ik het koud. „Ik wil weg," zeg ik. „Ik wil gewoon dat we... weggaan. Ik wil het niet vlug vlug doen en... ik wil niet dat we steeds bang moeten zijn, voor als je ouders vroeg thuiskomen of iets dergelijks..."

Hij kijkt een beetje opgelucht. „Oké. Maar je komt toch wel langs, hè?"

„Ja. Als je dat wilt."

„Tuurlijk wil ik dat. Of we zouden kunnen..."

„Wat?"

„Nou... Max heeft net iets met een grietje.

„Nou en?"

„We zouden met zijn vieren kunnen uitgaan of zo."

Ik haat het als hij dat zegt. Ik haat het als hij niet alleen met mij wil zijn. „Liever niet," zeg ik koel.

Zijn gezicht betrekt. „Waarom niet?"

„Ik ben liever alleen met jou. Daarom."

Hij kijkt de andere kant op en haalt zijn schouders op.

„Jemig, Simon," val ik uit. „Ik dacht dat je dat nou wel zou begrijpen. Je weet toch wat er aan de hand is met me, je weet wat ik allemaal meemaak..."

Boos kijkt hij me aan en zegt: „Felicity, er zijn een heleboel mensen die thuis problemen hebben. Je kunt niet..."

„Wat? Wat kan ik niet?"

„O, weet ik veel! Je trekt het je veel te veel aan!"

„Als jouw ouders zouden gaan scheiden, zou ik wel eens willen zien hoe gelukkig jij je nog zou voelen!"

„Je weet niet zeker of ze gaan scheiden, toch? Je laat je er veel te veel door beïnvloeden en, nou... het is stom."

Daarna wil ik niet meer met hem praten. Ik loop naar de bushalte. Hij komt snel naast me lopen en zegt 'sorry' maar ik merk dat hij het niet echt meent.

Om half twaalf ben ik thuis. Simon brengt me thuis, net als anders. Het is heel stil in huis en alle lichten zijn uit, op het licht in de gang na. Ik voel me niet op mijn gemak, maar ik stel mezelf gerust.

Ik zeg tegen mezelf dat het er fijn en vredig is.

10

Als ik er nu aan terugdenk, wist ik dat er iets ergs was gebeurd op het moment dat ik vrijdagavond de voordeur opendeed. Toen ik de trap op liep, voelde zelfs de lucht in huis anders aan: dik en onheilspellend. Maar ik schudde die indruk van me af, wikkelde mezelf in mijn dekbed als de pop van een insect aan het begin van een lange winter, en viel in slaap.

Zaterdagmorgen maakt mijn moeder me wakker. Ze schudt me zachtjes maar vasthoudend en zegt mijn naam steeds weer. „Wat is er?" kreun ik. „Hoe laat is het?"

„Tien uur."

„Tien uur! Het is zaterdag, mam."

„Ik weet het. Luister… je vader is hier. Hij is net thuis."

„Wat? Waar was hij vannacht dan?"

„Kun je je aankleden, schat? Trek snel iets aan en kom dan naar beneden."

Ik word misselijk als ze dat zegt, zo misselijk dat ik bang ben dat ik moet overgeven. Ik weet dat het nu gaat gebeuren, dat waar ik zo bang voor was, of dat het al is gebeurd, maar mijn hersens werken nog niet goed genoeg om haar te vragen wat er aan de hand is. Ik trek een oude joggingbroek en een oude trui aan, ga dan naar de badkamer en poets mijn tanden, maar was mijn gezicht nog niet.

Als ik beneden kom, is iedereen in de keuken. De meisjes zitten achter een kom cornflakes en kijken met grote, lege ogen voor zich uit. Mijn moeder schenkt kokend water uit de waterkoker in de theepot. En mijn vader staat tegen de muur geleund, met zijn armen over elkaar. Hij heeft zijn jas nog aan en kijkt naar de grond.

Het is surrealistisch. Het is nep. Niemand zegt iets. Maar ik kan ook niks uitbrengen.

Mijn moeder loopt met de theepot naar de tafel en schenkt drie bekers vol. Een voor mij, een voor mijn vader en een voor haar. Dan kijkt ze naar Phoebe en Alexa, trekt haar lippen strak over haar tanden in een glimlach die haar ogen in de verste verte niet bereikt, en zegt: „Zullen we vandaag gaan zwemmen?"

De meisjes kijken verward, bang, alsof iemand probeert ze een loer te draaien. „Wanneer?" vraagt Alexa.

„Nou... als jullie je ontbijt op hebben. Dan gaan we lekker lang zwemmen en daarna iets eten in het restaurant."

Phoebe vrolijkt er helemaal van op. Lunchen in het zwembad betekent patat en ze is dol op patat. „Gaat papa ook mee?" piept ze.

„Nee," zegt mijn moeder. „Jullie gaan met mij."

„En morgen... neem ik jullie ergens mee naartoe," zegt mijn vader. Hij schraapt zijn keel. „Wat hadden jullie gedacht van de bioscoop?"

Niemand geeft antwoord. De meisjes kijken van hem naar mijn moeder en weer terug. Ik wil iets zeggen, vragen wat er aan de hand is, waarom ik hier beneden moet staan luisteren naar afspraakjes om te gaan zwemmen, maar ik kan niets uitbrengen.

„Waarom gaat papa niet mee naar het zwembad?" vraagt Alexa.

„Ik heb hier iets te doen," zegt mijn vader.

Zelfs van de andere kant van de keuken kan ik mijn moeder snel en gespannen horen ademen, alsof ze eigenlijk wil gillen. Ze houdt haar kop thee met één hand vast en de andere ligt op tafel. Alhoewel, hij ligt niet echt, ze houdt hem gebald. Gebald tot een vuist.

Ze kijkt op naar mij alsof ze om hulp smeekt. Dan flapt ze eruit: „Wat er gaat gebeuren, is dat papa een tijdje ergens anders gaat wonen. Dus als wij aan het zwemmen zijn, gaat hij zijn kleren pakken."

„Wat?" jammeren Phoebe en Alexa tegelijk.

„Waar gaat hij dan naartoe?"

„Waarom gaat hij weg?"

„O, Phoebe. Je weet dat papa en ik gisteravond ruzie hadden, hè?"

„Ja. Ik werd er wakker van. En Alexa ook."

„Ik weet het," zegt mijn moeder schor. „Het spijt me, liefje."

„En we riepen jou, maar jullie hoorden ons niet omdat jullie zo hard aan het schreeuwen waren."

„Ik weet het, ik weet het. Dat was heel verkeerd van ons. Daardoor wisten we ineens dat het zo niet langer door kan gaan, omdat het niet eerlijk is tegenover jullie."

Het is stil. Mijn moeder kijkt weer in mijn richting, met

zo'n wanhopige, smekende blik, maar ik kan niets anders doen dan uitdrukkingsloos terug staren.

Dan fluistert Phoebe: „Waarom maken jullie ruzie?" Ze begint te grienen en haar neus gaat lopen. Ze brengt een hand omhoog en wrijft ermee door haar gezicht.

Mijn moeder staat meteen op en een tel later is ze bij Phoebe, die haar armen naar haar uitsteekt alsof ze een baby is. Ze laat zich zowat voorover vallen en mijn moeder vangt haar op, en dan komt Alexa ineens ook van haar stoel en zijn ze met z'n drieën een slordig, verdrietig, omhelzend hoopje op de vloer.

Ik kan het niet aanzien. Ik kijk omlaag en de lucht om me heen voelt aan alsof hij wordt weggezogen, waardoor ik nauwelijks nog kan ademen. Nu ik mijn blik eenmaal naar beneden richt, kan ik niet meer op kijken. Ik weet dat mijn vader daar nog staat, hij heeft zich niet verroerd, leunt nog steeds tegen de muur. Ik denk dat als hij alleen zijn armen maar even van elkaar zou halen, alles anders zou worden – maar hij doet het niet, het lijkt wel of hij bevroren is.

„Het is... luister eens, Phoebe," zingt mijn moeder bijna. „Je kent dat toch wel... soms met Helen... meestal zijn jullie beste vriendinnen maar soms wil je ineens even uit haar buurt zijn?"

Ik hoor hoe Phoebe naar adem hapt en fluistert: „Ja."

„Nou. Papa en ik voelen ons nu ook een beetje zo. We zijn zo... zo boos op elkaar dat we een tijdje bij elkaar uit de buurt moeten blijven. Dat is alles. We zijn het zat om ruzie te maken, we vinden het vreselijk dat we jullie van streek maken als we ruzie maken."

„En als jullie niet meer boos op elkaar zijn, komt papa dan weer thuis?" Dat is Alexa. Haar stem klinkt dun en hoog, omdat ze zo haar best doet niet te huilen. Ik draai alleen met mijn ogen, en merk dat mijn oogleden aanvoelen alsof er lood op ligt. Dan kijk ik op. Ik zie hoe mijn moeder zich verscheurd voelt tussen de behoefte eerlijk te zijn en de wens om alles minder verschrikkelijk te laten lijken.

„We houden nog net zoveel van jullie als altijd," zegt ze smekend. „Daar verandert nooit iets aan."

„Maar wanneer komt hij dan weer thuis?"

„Hij zal jullie vaak komen halen. Hij gaat morgen met jullie naar de bioscoop als jullie willen."

Dan schraapt mijn vader zijn keel weer en zegt: „Welke film willen jullie zien?"

Niemand zegt iets. Verwacht hij nou echt dat ze een rijtje films noemen?

„Laten we onze zwemspullen maar gaan pakken, hè?" zegt mijn moeder met de moed der wanhoop. Met een blik vol haat kijkt ze naar mijn vader en zegt met haar kiezen op elkaar: „Wil je handdoeken voor ons halen, alsjeblieft?"

Mijn vader maakt zich los van de muur en loopt de keuken uit. Ik waag een blik op zijn vertrekkende rug. Die ziet er zielig uit, verslagen. Ik zou er met een bijl op in willen hakken.

„Kom op," zegt mijn moeder op zo'n vreselijk opgewekt toontje. „We gaan onze badpakken pakken. En waar is je opblaasbeest, Alexa? Dan kun je de beenslag weer oefenen; dat gaat al heel aardig, hè?" Ze babbelt maar door en ondertussen duwt ze de kinderen in de richting van de keukendeur, achter mijn vader aan. En dan ben ik alleen in de keuken.

Ik kan me niet verroeren, maar mijn hersens zijn op hol geslagen en krijsen: waarom doen we zo? Doen we alsof het niet gebeurt? De meisjes opvrolijken alsof een zak patat en een koud chloorbad hen kunnen afleiden van wat er echt aan de hand is? Waarom kunnen we er niet eerlijk over zijn over hoe afschuwelijk het is, waarom kunnen we niet allemaal instorten, erom huilen, erover praten, zeggen hoe bang we allemaal zijn, in plaats van de angst in ons te laten opdrogen als cement?

„Felicity?" Mijn moeder steekt haar hoofd om de hoek van de deur. „Waarom ga je ook niet mee, schat?"

Ik schud woedend mijn hoofd.

„Ik wil je niet alleen laten... we kunnen toch samen praten als de meisjes spelen..."

Ik schud mijn hoofd nog een keer en mompel: „Ik moet nog zoveel doen."

Er volgt een pauze. Dan schreeuwt Phoebe van boven aan de trap: „Mam!" Het klinkt alsof ze weer moet huilen.

Mijn moeder doet haar ogen dicht alsof ze het niet meer aankan en fluistert dan: „Weet je zeker dat het gaat, Fliss?" Ik knik en ze verdwijnt.

Ik blijf zitten wachten tot ik ze met z'n drieën weer naar beneden hoor komen en Alexa trillerig en gemaakt hoor roepen: „Tot morgen, papa!" Mijn vader roept iets naar beneden dat ik niet kan horen en Alexa vast ook niet, en dan slaat de voordeur dicht.

Ik dwing mezelf te bewegen. Ik loop de keuken door en zet water op. Ik denk... ik maak nog een kop thee, doe er drie klontjes suiker in en bedenk dan dat ik Simon wil bellen. Om te zeggen dat ik hem meteen wil zien. Hij kan geen nee zeggen, niet als ik hem vertel wat er is gebeurd.

Dat kan hij niet doen.

Dan stroomt er een heel raar gevoel door me heen, bijna prettig. Het is gebeurd, denk ik. Het is eindelijk gebeurd. Ik zei het toch, Simon. Ik zei je toch dat het slecht ging en jij wilde het niet geloven. En nu ben je me iets schuldig. Hoe overstuur ik er ook door ben, je kunt het me niet verwijten. Nu moet je voor me zorgen, je moet, anders zou je een rotzak zijn, toch?

Het water kookt en ik maak nog een beker thee. Op het moment dat ik de suiker erin doe, hoor ik een harde plof op het plafond boven mijn hoofd. Ik herken het geluid. Het is de een na grootste koffer die van de kledingkast in de slaapkamer van mijn vader en moeder wordt gehaald. Ik roer de suiker door de thee, rond en rond en rond. Ik hoor mijn vader in de slaapkamer lopen, hoor lades open- en dichtgaan. Ik til de kop thee naar mijn mond, neem een slokje en nog een. Ik hoor de deur van de kledingkast dichtslaan en dan de deur van de slaapkamer. Dan hoor ik mijn vader de trap af komen met de zware koffer.

Hij is in de gang. Ik luister naar het gerinkel van de autosleutels die hij van het tafeltje pakt. Ik wacht tot hij de keuken binnenkomt, ik ben bang dat hij binnenkomt, ik wil dat hij gewoon weggaat, dat hij hier... ik weet niks tegen hem te zeggen, wat zeg je tegen iemand die jou in de steek laat? Ik neem nog een slok van de gloeiend hete thee, wacht af en dan hoor ik de voordeur dichtslaan.

11

Zodra ik me weer kan verroeren, ga ik naar de voorkamer en toets het nummer van Simon in.

„Mag ik Simon spreken, alstublieft?" hakkel ik.

„Nou, hij probeert zijn kunstproject af te maken, Felicity," snauwt ze. „Hij moet twee verslagen maken die hij maandag moet afhebben. Hij is net aan het werk."

Ze verwacht dat ik zal zeggen: „O, oké, sorry," en weer zal neerleggen. Maar dat doe ik niet. Ik haal diep adem en zeg: „Ik moet hem snel spreken. Ik moet hem iets vertellen."

Ze aarzelt even, snuift ongeduldig, het stomme mens, dus zeg ik er knarsetandend achteraan: „Ik zal het kort houden."

Ze smijt de hoorn neer en ik hoor haar geïrriteerd 'Simon' roepen, en mopperen als hij de trap af komt lopen.

Hij pakt de telefoon en zegt: „Hoi."

„Ik moet het kort houden," zeg ik kortaf. „Dat zei je moeder."

„Ze is gewoon..."

„Mijn vader is weg."

„O, Jezus."

„Weet je nog dat je zei dat ik me geen zorgen hoefde te maken over dat mijn ouders uit elkaar zouden gaan vóór ze het zouden aankondigen? Nou, dat hebben ze nu gedaan."

En dan begin ik te huilen. En ik haal de hoorn niet bij mijn mond weg, ik huil er gewoon in.

„O, Fliss. O, jemig. Hoor 'ns, ik kom wel naar je toe. Ik kom er nu aan."

„Nee!" jammer ik. „Ik wil hier niet blijven. Ik moet hier weg."

„Tuurlijk. Wat vind je van de Mulberry Bush?"

„Ik kan niet naar een café! Niet zo!"

„Oké, kom dan maar hierheen."

„Doe jij de deur voor me open?"

„Ik beloof het. Ik wacht wel in de gang."

Een half uur later zitten we naast elkaar op bed en vertel ik hem het hele, verschrikkelijke verhaal, over hoe totaal verlaten ik me voelde toen mijn moeder zich alleen druk maakte over Alexa en Phoebe en mijn vader wegging zonder afscheid te nemen.

„Misschien dacht je vader dat je mee was gaan zwemmen," zegt Simon geruststellend.

„Hij had toch kunnen kijken. Hij had alleen zijn hoofd maar even om de hoek van de deur hoeven steken om te kijken of dat zo was."

„Ja. Maar als je bedenkt wat hij aan zijn hoofd had… ik bedoel, hij moet zich toch vreselijk hebben gevoeld toen hij zijn koffer pakte en het huis uit ging. Hij moet zich echt doodziek hebben gevoeld."

„Te ziek om te kijken hoe ik me voelde?"

„Ja. Nou ja."

„Simon, de waarheid is dat hij geen seconde aan mij heeft

gedacht. Hij geeft geen bal om me. Hij denkt alleen maar aan zichzelf."

Simon slaat zijn armen om me heen en houdt me vast.

Ik duw mijn hoofd tegen zijn schouder en huil. „Ik maak je trui nat," snif ik.

„Geeft niks," zegt hij lief.

„O, Simon, gelukkig heb ik jou. Ik hou van je. Zij interesseren me niet."

„Tuurlijk wel. Daarom doet het zo'n pijn."

„Ja, nou, ze kunnen me geen pijn meer doen. Zolang ik jou heb, kan het me geen bal schelen wat zij doen. Voor mijn part vallen ze dood."

„Dat meen je niet."

„Dat meen ik wel. Ik ga thuis alleen nog maar eten en slapen en leren voor mijn examen en verder spreek ik af met jou. Hou je van me?"

„Dat weet je best."

„Dat is alles wat ik nodig heb. Ze zullen me niet kapot krijgen."

We zitten op de rand van het bed, Simon wiegt me heen en weer en op dit moment zou ik willen sterven, nu alles goed is en ik voel dat er van me gehouden wordt.

Dan horen we een klopje op de deur en de moeder van Simon doet de deur open voor we de kans hebben gekregen om te reageren. „Max en Tom zijn beneden," zegt ze zachtjes. „Het is half een."

Simon ziet er geschrokken uit. „Shit. Ik had ze moeten bellen. Uh... ik kom eraan. Zeg maar dat ik eraan kom, wil je dat doen, mam?"

Ze verdwijnt zonder iets te zeggen. „Heb je het haar verteld?" vraag ik.

„Ja," zegt Simon. „Vind je het erg?"

Ik schud mijn hoofd. Ik weet dat hij het haar alleen maar heeft verteld zodat ze ons met rust zou laten. „Wat zou je gaan doen?" vraag ik. „Met Tom en Max?"

„Bowlen." Het is even stil, dan zegt hij: „Ik ga ze vertellen dat ik niet meega."

Ik pak zijn arm als hij probeert op te staan. „Kan je moeder dat niet tegen ze zeggen?"

„Nou..."

„Je zei toch dat je haar had verteld wat er was gebeurd."

„Ja, dat weet ik, maar ik zei ook dat ik zo beneden zou komen om met ze te praten."

Ik laat mijn handen van zijn armen glijden en hij staat op. Bij de deur draait hij zich om en kijkt me smekend aan. „Ik ben zo terug, Fliss. Oké?"

Ik geef geen antwoord. Ik laat mijn gezicht spreken: één minuut is nog veel te lang.

Ik blijf bijna vier uur bij Simon, in zijn slaapkamer. Op een gegeven moment gaat hij naar de keuken om wat boterhammen voor ons te maken... ik zeg hem dat ik geen trek heb, maar hij vindt dat ik moet eten. Terwijl hij beneden is, ga ik bij de open deur van zijn slaapkamer staan en probeer te horen wat zijn moeder tegen hem zegt. Het klinkt alsof ze hem alleen maar vragen stelt. Na elke vraag is er een stilte en dan geeft Simon antwoord. Het klinkt moe en mat. Het maakt niet uit hoe ik mijn oren spits, ik kan niet horen wat ze zeggen.

Nu moet ze met haar verzet ophouden, toch? Ze moet accepteren dat Simon er nu voor mij moet zijn.

Als ik naar huis ga, laat ik Simon beloven dat hij me om zeven uur zal bellen, zodat we kunnen overleggen of we uit zullen gaan of niet. Hij zegt dat hij zal doen wat ik wil, maar dat ik vermoedelijk alleen maar zal willen slapen. „En drinken, Felicity!" zegt hij als hij me gedag kust. „Al dat huilen. Je zult wel uitgedroogd zijn!"

Ik doe mijn best om te lachen, omdat ik weet dat hij dat wil. Hij meent het trouwens echt. Aan dat soort dingen denkt hij.

Om een uur of vijf ben ik weer thuis. Zodra ik de gang in kom, hoor ik de gebruikelijke zaterdagmiddaggeluiden... tekenfilms uit de achterkamer, gerammel in de keuken. Ik blijf een paar minuten in de gang staan en bedenk dat ik het liefst naar boven zou glippen om onder mijn dekbed te duiken en te slapen tot Simon belt. Maar mijn moeder steekt haar hoofd om de hoek van de keukendeur.

„Fliss! Waar zat je? Was je bij Simon?"

Ik knik en ze praat door. „Je had best een briefje voor me neer kunnen leggen, schat. Ik bedoel... ik dacht wel dat je daar zou zijn, maar..."

„Je had toch naar Simons huis kunnen bellen," zeg ik op vlakke toon. „Als je je echt zorgen maakte."

Het gezicht van mijn moeder betrekt even en dan zegt ze: „Hé, kom eens even praten. Ik ben bijna klaar met een paar uientaarten voor dinsdagavond."

Ze loopt de keuken weer in en ik sjok achter haar aan,

omdat dat minder energie kost dan te zeggen: ik wil gaan slapen. De tafel ligt vol met knapperige, crèmekleurige taarten en de lucht is dik van de uiengeur.

„Ik moet een grotere vriezer kopen," zegt mijn moeder. „Ik denk dat ik hem achter in de garage zet. Dingen zoals dit kun je heel goed invriezen." Dan glimlacht ze naar me alsof ze echt denkt dat het mij iets interesseert, wijst naar een taartje dat een beetje verbrand is aan de zijkant en zegt: „Die is een beetje mislukt. Die eten we straks zelf op. Met wat sla."

„Ik heb niet zo'n trek," zeg ik.

Het is stil. Mijn moeder trekt nog een taart uit de oven. „Het spijt me echt heel erg dat ik je er zo mee overviel. Vanochtend." Ze zet de taart op tafel, verschuift een paar andere om er plaats voor te maken. Dan gaat ze staan, geloof ik, en ze kijkt naar mij, maar ik weet het niet zeker omdat ik naar de taarten blijf staren. „Bedankt dat je het begreep, lieverd. Je weet wel, met de meisjes en zo."

Begreep? Ik begreep er niets van. Ik zei alleen niets. „Waarom vertelde je het ons allemaal tegelijkertijd?" flap ik eruit.

„Nou... ik weet het niet. Ik wist niet hoe het zou gaan. Ik hoopte dat jullie elkaar tot steun zouden zijn. En... en... O Felicity, ik moest het gewoon zo doen! Ik kon het idee niet verdragen dat ik het meer dan één keer zou moeten vertellen."

„Wanneer heeft hij het besloten?" vraag ik. „Om te gaan?"

„Nou, vorig weekend hebben we het er al over gehad. Papa heeft een vriend waar hij kan logeren, vlak bij zijn werk. Het is... het kan echt niet meer. We hebben gisteravond weer ruzie gehad... en... hij... nou ja. Hij liep weg."

Eindelijk kijk ik naar haar gezicht en ik zie dat haar ogen vollopen met tranen, maar ik kan geen gevoel voor haar opbrengen. „Je zei dat jullie er wel uit zouden komen," zeg ik schor. „Je zei dat deze crisis een keerpunt was."

Ik kon me het woord nog zo goed herinneren omdat ik er zo'n duidelijk beeld bij had gehad. In dat beeld – al wist ik dat mijn moeder het juist positief had bedoeld – keerden we allemaal om en gingen bergafwaarts.

„Nou, ik hoop dat dat zo is," fluistert mijn moeder. „Ik hoop… dat als we elkaar een poosje niet zien… ik hoop dat we dan een nieuwe richting kunnen inslaan en dat het weer goed zal gaan." Dan draait ze zich om en is ze plotseling heel kwaad. „Hoor eens," barst ze los, „ik heb hem er niet uit gegooid. Hij wilde gaan. Hij zei dat hij geen ruzie meer kon verdragen. En toen belde hij vanmorgen vroeg om te zeggen dat hij zijn spullen zou komen halen."

„Wat zei je toen?"

„Niet veel."

„Je had hem kunnen vragen om niet weg te gaan."

„Waarom zou ik dat in vredesnaam doen? Hij heeft een beslissing genomen… om bij mij weg te gaan. Bij ons weg te gaan. En echt, Felicity, ik ben ook opgelucht! Gewoon een eind aan alles, weer ruimte hier, niet zo heen en weer geslingerd door die voortdurende woede en spanning… we moeten echt even bij elkaar uit de buurt blijven. Time out. Daarna zien we wel weer." Er volgt een lange pauze. Ze stevent op de koelkast af, pakt de sla en de tomaten en zegt: „Weet je zeker dat je geen trek hebt?"

Ik schud mijn hoofd. Ik kan niets uitbrengen.

„Weet je," zegt ze op lieve toon. „Het heeft niet alleen maar negatieve kanten. Alles wordt nu beter geregeld… zakelijk bijna. Plotseling wil hij graag dingen met jullie ondernemen. Morgen neemt hij Phoebe en Alexa mee naar de bioscoop. Wanneer heeft hij zoiets voor het laatst gedaan? Zonder er eerst een enorme ruzie over te maken?"

Dus dan is het goed, denk ik sarcastisch als ik de trap op sjok. Het gezin heeft de dingen beter geregeld. Mijn moeder koopt een grotere vriezer en mijn vader neemt de meisjes mee naar de bioscoop en alles is goed geregeld. Geweldig.

Ik zet geen opera op, want ik voel me verdoofd en wil me zo blijven voelen. Er is een enorme vermoeidheid over me gekomen, een grote, overspoelende, alles uitwissende vermoeidheid waar ik me tevreden aan overgeef. Ik glip onder de dekens en val in slaap.

Als ik weer wakker word, is het helemaal donker. Ik rek me uit, pak mijn wekker en tuur erop. Het is precies zeven uur, het tijdstip waarop Simon zou bellen. Ik moet telepathisch begaafd zijn of zoiets. Ik wacht en tel elke inademing, en bij inademing nummer twaalf gaat de telefoon beneden. Mijn hele lichaam zucht van ontspanning, van opluchting. Dan ga ik weer liggen, doe mijn ogen dicht en wacht af. Ik hoor hoe mijn moeder de trap op komt en mijn deur zachtjes opendoet.

„Fliss?" vraagt ze zachtjes. „Ben je wakker?"

„Zeg hem maar dat ik slaap," fluister ik. „Zeg hem maar dat ik gesloopt ben."

12

Zondag is mijn moeder vastbesloten om te doen alsof er niks aan de hand is. Je kunt niet anders dan bewondering hebben voor haar wilskracht. 's Middags zwaait ze eerst de meisjes uit als ze met hun vader naar de bioscoop gaan en dan gaat ze vlees braden, dat we vervolgens om vier uur die middag opeten. Dat is een mooi tijdstip, zegt mijn moeder. Dan heb je eerst een morgen en middag en daarna nog een hele lange avond. Mijn vader had er altijd een hekel aan om om vier uur te eten. Eet rond lunchtijd, of pas om een uur of zes, zei hij altijd. Nu kunnen we om vier uur eten zonder ruzie.

En maandag maakt mijn moeder lunchpakketten voor ons klaar, net als anders, en we gaan naar school, net als anders. In zekere zin is alles ook net als anders en lijkt er niets veranderd. Het is net alsof mijn vader vroeg naar zijn werk is gegaan of zoiets. En 's avonds is het net alsof hij op zakenreis is. Alleen is het niet helemaal hetzelfde, want mijn moeder doet te erg haar best om vrolijk te zijn en om te laten zien dat ze alles aankan; mijn zusjes doen nog steeds heel erg hun best om niet te huilen en er valt een soort pauze na alles wat we doen, een gat waarvan we niet weten hoe we het moeten opvullen. Een groot gat vol onzekerheid over alles, over de reden waarom we hier eigenlijk allemaal zijn.

Om half acht belt Liz. Ze is totaal overstuur en huilt... ze heeft gehoord dat mijn vader bij ons weg is. „Waarom heb je het me niet verteld?" vraagt ze aldoor. „Ik kan gewoon niet geloven dat je het me niet hebt verteld."

Ik mompel iets. Dat ik er nog niet over kon praten omdat ik me totaal verdoofd voel en zo. Natuurlijk zegt zij op haar beurt dat ik me natúúrlijk zo voel, dat begrijpt ze helemaal. „Ik hoop dat je weet dat ik er altijd voor je ben, Fliss," zegt ze. „Altijd." Haar stem trilt en ik voel me mijlenver van haar verwijderd omdat ik nauwelijks iets voel. Ik mompel dat ik me op dit moment voor alles afsluit en hoop dat ze dat begrijpt. Ze zegt dat ze het begrijpt en dat ze een grote reep chocolade voor me zal kopen om me op te vrolijken. Ze zal hem morgen mee naar school nemen. Ergens in mijn achterhoofd weet ik hoe lief ze is, maar ik voel het niet.

Niet lang daarna belt Simon om te vragen of het goed met me gaat. Ik vertel het hem: niet echt. We zeggen niet veel. Het belangrijkste is dát hij heeft gebeld.

Die nacht in bed overvalt me een gedachte die zo sterk is, dat het lijkt alsof iemand me hem heeft ingefluisterd. Ik ben hier op aarde omdat die twee van elkaar hielden. Wat is mijn bestaansrecht nu dat allemaal voorbij is?

Op woensdagavond is er weer een verandering. Jane, de cateringpartner van mijn moeder, komt bij ons met een wagonlading keukenspullen en boodschappen. Ze komt bij mijn moeder koken voor een verlovingsfeest op aanstaande zaterdag. Onze keuken is groter dan die van haar, zegt Jane en bij haar thuis loopt er nog wel een man in de weg. Ik hoor hoe ze grappen maken.

„O, wat ben ik jaloers op je," zegt Jane. „Al die ruimte voor jezelf. De vrijheid om te doen wat je wilt."

Mijn moeder lacht en Jane gaat verder: „Echt! Ik ben jaloers op je. Weet je, soms voel ik me zo saai."

„Nou," zegt mijn moeder. „Saai voel ik me nu zeker niet. Ik ben een soort high. Een tikje hysterisch, maar high. Alsof ik ben gelanceerd."

„Dat is de adrenaline. Door al die dramatiek. En de opluchting... weet je, omdat dat je het eindelijk hebt gedaan."

„Je praat over me alsof ik een soldaat ben."

„Dat ben je ook, meid," zegt Jane en weer lachen ze hard. Ik ren naar boven, deels omdat ze me er anders misschien op betrappen dat ik ze sta af te luisteren, maar ook omdat ik verder niets wil horen.

De week gaat voorbij. Simon, Liz, en Megan... ze zeggen allemaal aardige dingen tegen me, maar het is net alsof ik onder water zwem of iets dergelijks en ze daardoor niet echt kan horen. Dat verdoofde gevoel dat ik had op de dag dat mijn vader het huis uit ging, is er nog steeds, naast al het andere. En ik ben moe. Ik slaap heel veel en als ik slaap, droom ik. Ik droom dat ik weer klein ben en dat mijn vader me draagt, dat hij mij optilt en knuffelt als ik me pijn heb gedaan, of als ik bang ben. Ik voel zijn armen om me heen en voel hoe sterk hij is. Ik ruik zijn katoenen overhemd en de aftershave die hij gebruikt en ik word wakker met een gevoel van verlies dat zo verschrikkelijk is, dat ik me niet kan bewegen. Ik kan me niet bewegen tot het gevoel uit de droom is weggeëbd en ik mezelf kan wijsmaken dat het lang geleden is dat hij zo was. Dan zeg ik tegen mezelf dat ik moet opstaan om door te leven in de realiteit.

Wanneer ik niet slaap, luister ik naar opera... naar niets anders. Al mijn andere cd's klinken zwak en oppervlakkig en onecht... opgewekt of vals-verdrietig vergeleken met opera. Ik draai *Don Giovanni* steeds opnieuw, vooral het deel waar het stenen beeld hem komt halen en meeneemt naar de hel. Het maakt me bang, de diepe, intense manier waarop hij zingt... je voelt dat er geen ontsnapping mogelijk is: dit is het, het is voorbij... Maar het ontroert me ook, het bevrijdt me. Ik moet er steeds opnieuw naar luisteren.

We zien mijn vader die hele week niet meer. Op donderdag weet ik dat mijn moeder hem aan de lijn heeft – ik hoor haar boosheid en weet dat het over geld gaat. Ze krijst: „Maar waarom moest je zoveel opnemen? Straks staan we rood." Daarna hoor ik haar huilen in wat ooit hun kamer was. Het is een woest en zielig geluid en ik vraag me af of ik naar binnen zal gaan, maar ik doe het niet, ik kan het niet.

Het wordt vrijdag. Vanavond Burns' Night en de slemppartij waar Simon me voor had uitgenodigd, een leven lang geleden, zo lijkt het. „Je komt toch nog wel?" vraagt hij als hij na schooltijd naast me komt lopen.

„O. Eh... Ik weet het niet. Ik heb er niet over nagedacht."

„Nee, tuurlijk niet. Hé Fliss, kom nou gewoon. Het zal je goed doen. Dan kun je alles even vergeten."

„Nou, mijn vader zou ons vanavond mee uit eten nemen of zoiets." En ik bedenk hoe Phoebe, Alexa en ik in een of andere pizzatent tegenover mijn vader zullen zitten en ons best zullen doen met hem te praten.

„Nou, je moet het zelf weten, Fliss."

„Ja, ik weet het. Oké Simon, ik kom."

Om tien voor acht sta ik bij Simon op de stoep, maar hij doet niet zelf de deur voor me open. Dat doet een dikke man met een baard, die ik nog nooit eerder heb gezien. Hij draagt een enorme Schots geruite pet met rood namaakhaar eraan. Ik denk dat het een van Simons ooms is. „Wie is dit?" brult hij joviaal. „Ze ziet er zo Engels uit!"

Het is grappig bedoeld, maar dat is het niet en ik lach niet, hoewel ik een klein beetje glimlach uit zelfverdediging.

„Andrew, hou eens op," zegt de moeder van Simon, die naast de man komt staan. „Dit is de vriendin van Simon. Let maar niet op hem, Felicity. Schotten die naar Engeland zijn verhuisd, zijn altijd de ergsten. Het meest fanatiek."

„Aye, nou, dat moeten we ook wel zijn!" buldert Andrew. „Omringd door Engelsen! Kom erin, meisje! Joyce, waar is die jongen van je?"

„Boven. Hij is de kilt aan het passen die je hem hebt opgedrongen."

„Hem heb opgedrongen?" buldert Andrew, zogenaamd verontwaardigd. „Het is zijn erfgoed... hij zou er trots op moeten zijn!"

„Ja, maar niet als hij bijna een miljoen maten te groot is," klinkt de stem van Simon van boven aan de trap.

Iedereen kijkt omhoog en Simons moeder roept: „Kom naar beneden! Laat je eens bewonderen!"

Simon begint de trap af te paraderen, gaat helemaal mee in het spel. Een grote, brede riem houdt de gigantische kilt rond zijn middel op zijn plaats. „De kwestie is, oom Andrew..." zegt hij, „...het feit dat hij u veel te klein is, betekent nog niet dat hij verder iedereen wel past... tenminste, niet iedereen die niet minstens zestig kilo te zwaar is!"

Andrew brult als een stier, rent op Simon af en grijpt hem. Simon slaat met zijn armen en wringt zich lachend los, terwijl Simons moeder roept: „Jongens, jongens, stop nou eens voordat een van jullie zich pijn doet!"

Ik voel hoe ik me mezelf afsluit. Helemaal. Al dit gezellige familiegedoe, het is om misselijk van te worden. Simon werpt een blik op me en zegt: „Wat vind jij ervan, Fliss?" Hij heeft niet eens de moeite genomen om me te begroeten. Hij grijnst en pakt de zijkanten van zijn kilt op, als een klein meisje met een feestjurk aan.

„Geweldig," zeg ik op vlakke toon en ik kijk de andere kant op.

„Zie je wel," zegt Andrew. „Felicity vindt het geweldig. Je moet hem aanhouden, Simon, neef van me. Of ik schrap je uit mijn testament, echt hoor. Nu... nu moeten we nog een Schots ruitje vinden voor die kleine Felicity."

Wat? Plotseling heb ik een gruwelijk visioen: dat ik in de vrouwelijke versie word gehuld van wat er om Simon heen hangt. Ik piep: „Nee, dank u. Dat hoeft echt niet, hoor."

„Tuurlijk wel. Je moet een Schotse ruit dragen. Het is Burns' Night."

„Ik heb geen Schotse ruit," mompel ik.

Ik voel hoe Simons moeder naar me kijkt. „Simon, neem Felicity even mee en geef haar wat te drinken," zegt ze.

Als ik Simon achternaloop door de gang, gaat de deurbel

weer en er is opnieuw veel rumoer als Andrew de volgende gasten verwelkomt.

„Sorry," gniffelt Simon. „Hij is volslagen gek."

„Hou je die stomme kilt aan?" sis ik. Simon kijkt omlaag, mompelt iets dat ik niet kan verstaan en gebaart dat ik de achterkamer in moet gaan. Daar is zijn vader met ongeveer zes anderen. Ze zitten allemaal min of meer tegen elkaar te schreeuwen, omdat ze zo nodig moeten bewijzen dat ze reuze lol hebben. Normaal gesproken is Simons vader iemand die op de achtergrond blijft, maar vanavond deelt hij bier rond en whisky en doet hij heel luidruchtig. „Hallo, kinderen!" roept hij. „Simon… je ziet er belachelijk uit!"

„Hij ziet er geweldig uit!" galmt het van de andere kant van de kamer.

Simons vader grijnst breed naar me. „Wat wil je drinken?"

Mijn hoofd is ineens leeg. Wat moet ik zeggen? Mag ik alcohol nemen of hoe zit dat? „Niets, dank u."

„Neem een biertje," zegt Simon, die me komt redden. „We willen allebei een biertje, pa."

De vader van Simon heeft net twee glazen volgeschonken als Andrew plotseling binnenkomt en brult: „Zijn die voor mij, Dougie?" en allebei de glazen oppakt. Dan neemt hij een reusachtige slok uit het glas in zijn rechterhand en dan een uit het linkerglas. Ik voel mijn gezicht verstrakken. Hij denkt dat hij leuk is, om te lachen… nou, ik vind van niet. Hij is een zwijn. Een grof zwijn.

Simon werpt een blik op me, lacht en probeert mij ook aan het lachen te krijgen. Ik weet dat hij zich verscheurd voelt, omdat hij aan de ene kant zijn familie een plezier wil doen en aan de andere kant mij niet boos wil maken, maar ik maak het hem niet makkelijk, helemaal niet. Zijn vader heeft intussen weer twee biertjes ingeschonken en duwt ze ons in de handen. Hij vertelt iedereen in de kamer dat ik Felicity ben, het vriendinnetje van Simon. Ik doe een paar stappen achteruit, naar de hoek van de kamer. Simon loopt me achterna. Dan zegt een vrouw op zo'n heel vervelend, hoor-mij-eens-leuk-zijn-toontje: „Wat ik nou wel eens zou willen weten, is waarom ik zo'n gruwelijke ruitjesbroek aan moest trekken, terwijl Felicity gewoon een leuke jurk aanheeft!"

„Het zijn geen ruitjes!" brult Andrew. „Het zijn Schotse ruiten! Weet je dan niks, mens? En, trouwens, Felicity zet mijn pet op, hè meisje?"

Iedereen brult van het lachen... Simon lacht ook terwijl hij me aankijkt. Ik zie dat hij graag wil dat ik meelach. Het is allemaal een grote grap waar ik niet aan meedoe. Ik bevries.

„Ze kan dat afgrijselijke ding toch niet opzetten," zegt een andere vrouw en ze komt op me af. „Hier, Felicity. Neem mijn sjaal maar." Ze trekt een stomme, Schots geruite sjaal van haar hals en slaat hem om de mijne.

Ik wil hem niet. Ik wil hem niet eens aanraken. Ik wil hem op de vloer smijten.

„Bedankt, tante Jean," zegt Simon.

Dan steekt zijn moeder haar hoofd om de hoek van de deur en roept: „Oké, iedereen... aan tafel! Het eten is klaar!"

Oom Andrew zegt dat er eigenlijk een doedelzakspeler zou moeten zijn en maakt van die afgrijselijke doedelzakgeluiden met zijn neus. We stommelen de achterkamer uit, de grote keuken in voor het diner. Ik trek aan de wollen sjaal en hij valt op de grond. Simon doet net alsof hij het niet ziet. Mijn hart bonkt en ik voel iets dat op paniek lijkt. Ik denk dat ik het niet volhoud. Ik kan hier niet blijven en doen alsof ik het naar mijn zin heb, terwijl iedereen gek doet. Ik grijp Simons hand en hij knijpt terug alsof hij denkt dat ik het teder bedoel.

Zijn moeder brengt ons naar twee stoelen die naast elkaar aan het hoofd van de tafel staan. De uitgetrokken tafel staat in het midden van de keuken. Er staan stoelen uit het hele huis omheen gepropt. Zijn moeder heeft echt haar best gedaan... kaarsen, Schots geruite servetten. Ik voel me iets beter als ik ga zitten en leun even tegen Simon aan.

Oom Andrew heeft een grote bek en maakt een boel drukte over het voorlezen van 'het versje'. „Wie heeft het boek?" tettert hij aldoor. „Dougie, waar is het boek?"

Simon geeft me een bord met een dipsausje in het midden en sjiek uitziende chips eromheen.

„Hoe lang gaat dit nog duren?" sis ik.

Hij haalt zijn schouders op en kijkt me smekend aan, dan gooit hij de rest van zijn bier in mijn lege glas.

Het geluidsniveau rond de tafel wisselt terwijl iedereen de voorgerechtjes doorgeeft en Simons vader nog iets te drinken inschenkt. Ik drink mijn glas bier leeg, krijg het meteen weer volgeschonken en eet een paar stukjes chips. Het sausje ruikt weerzinwekkend, naar oude vis. Ik probeer een gesprek met Simon te beginnen maar er zijn steeds mensen die ons storen, ze maken luidruchtige grappen en proberen ons bij hun domme geklets te betrekken.

Simons moeder staat op, rommelt nog even bij het fornuis

en roept dan: „Oké… het is klaar!" Dan zet ze een grote pan met gelige smurrie op tafel.

Andrew springt overeind. Hij trekt een gewichtig gezicht en houdt een klein, in leer gebonden boekje in zijn handen geklemd. Er volgt een grote schaal met twee stomende, bruine hompen vlees. Andrew maakt dat stomme doedelzakgeluid weer. In één hand neemt hij een groot, scherp mes, roept: „To the haggis!" en begint voor te lezen uit het boekje. Ik begrijp geen woord van wat hij zegt, maar het klinkt nogal gruwelijk. Hij staat zich aan te stellen als ik weet niet wat, brult en produceert vreselijke keelklanken. Iedereen, behalve ik, valt over elkaar van de lol, juicht en slaat op tafel en roept: „Aye!" Dan pauzeert hij even melodramatisch, zwaait met het mes, zegt iets dat klinkt als '*gushing entrails bright*' en snijdt de haggis aan.

„Verdomme, Joyce, dit is geen schapenmaag, dit is plastic!" buldert hij en iedereen giert van het lachen terwijl hij ondertussen uit het boek blijft voordragen.

Ik krijg het gevoel dat ze allemaal gek zijn geworden, ook al weet ik dat het Schotse traditie is. Mijn paniek is terug, nog erger dan eerst. Er roert zich iets verschrikkelijks en boosaardigs in me… het groeit en groeit en de druk wordt ondragelijk.

Ik werp stiekem een wanhopige blik op Simon… die kijkt geconcentreerd naar zijn oom, die knikt en grinnikt. Zijn mond hangt open alsof hij niet goed snik is.

„Dat eet ik niet," sis ik.

„Het gaat best," sist hij terug. „Het is lekker."

Andrew begint stukken haggis op de borden te kwakken

en de vader van Simon gooit er een kledder gele smurrie bij. Dan worden de borden met de wijzers van de klok mee doorgegeven rond de tafel. Het ziet er ongeveer net zo lekker uit als het ergste eten uit een Engelse schoolkantine. De man rechts naast me geeft me een bord aan, maar voor ik het aan Simon kan doorgeven, schreeuwt Andrew: „Aanpakken, meisje! Ik wil hem niet meer terug!" En ik blijf stijf zitten en kijk naar dat smerige, dampende spul voor me. Ik doe mijn best de muskusachtige geur niet te ruiken en weet zeker dat ik er geen hap van door mijn keel kan krijgen. Al snel heeft iedereen een bord.

„Nou, voor het vel ben je al gezakt!" gaat Andrew nog even door. „Plastic! Ik hoop dat er goede ingewanden in zitten en niet een of ander slappe vulling!"

„Wát zei hij?" sis ik tegen Simon. „Ingewanden?"

„Niet zo zeuren, Andrew," zegt Simons moeder. „Dit is de beste haggis die er te koop is!"

„Ingewanden?" vraag ik nog een keer.

„Hè Fliss, probeer het gewoon," snauwt Simon en hij begint tegen de vrouw naast hem te praten. Gekwetst leun ik tegen de rug van mijn stoel.

„Kom op. Eten!" roept zijn moeder. „Laat het niet koud worden!"

En iedereen begint te schransen. Ik pak mijn mes en vork niet eens op. Langzaam doet een grote fles whisky de ronde over de tafel: sommige mensen gieten het over hun haggis, sommige gieten het in hun glas, sommige doen allebei. Dan is de whisky bij Simon, die wat op zijn bord giet en vervolgens een scheutje in zijn lege bierglas schenkt. Hij wil de fles aan mij geven, maar ik neem hem niet aan. En net op het moment dat hij achter me langs reikt om hem aan degene naast mij te geven, duikt Andrew ineens op als een vette gier en pakt de fles van hem af.

„Probeer het eens, meisje," zegt hij. „Giet een beetje op je haggis."

Fanatiek schud ik mijn hoofd. „Nee, dank u."

Hij leunt over tafel. Van dichtbij is hij nog weerzinwekkender. Er zit vet in zijn baard, dat eruit ziet als de sporen van een slak. „Kom op, een klein scheutje maar," zegt hij en houdt de fles schuin.

Er stroomt whisky op mijn bord en voor ik het weet, snauw ik: „Ik zei: NEE!" Ik zeg het harder dan ik eigenlijk wilde. De gasten om ons heen houden op met praten en draaien zich naar mij om.

„O, Andrew..." begint de moeder van Simon.

„Nou, ze wilde het niet puur!" zegt Andrew en hij strekt zijn lege hand in een onschuldig gebaar opzij. „Ze heeft nog geen slokje genomen!"

De hele tafel kijkt naar mij, weet ik. Plotseling slaat de geur van whisky in combinatie met de sterke lucht van de haggis me vol in mijn gezicht. Ik sta op en duw mijn stoel naar achter. Dat maakt herrie.

„Wat doe je, Fliss?" sist Simon.

„Ik... ik denk dat ik moet overgeven," stamel ik.

13

Ik red het tot de gang. Ik moet niet overgeven, maar ik moet weg, móét echt weg. Ik grijp de knop van de voordeur, gooi hem open en ben het pad al af – de deur laat ik openstaan. Ik hoor Simon roepen: „Fliss! Fliss... wacht!" maar ik wacht niet. Ik ren door en pas als ik aan het eind van de straat ben, ga ik wat langzamer lopen zodat hij me kan inhalen.

Hij heeft mijn jas bij zich en hijgt. „Wat is er nou aan de hand? Waarom loop je zomaar weg?"

Ik wil dat hij zijn armen om me heen slaat, maar dat doet hij niet. Zijn gezicht staat koel en verward en boos.

„Ik had niet moeten komen," stamel ik. „Het was een vergissing."

„Waarom in vredesnaam? Het is gewoon een fééstje!"

„Simon, alsjeblieft, schreeuw niet tegen me! Ik voel me shit... ik voel me afschuwelijk! Ik hield het gewoon geen minuut langer uit. Oké?"

„Ik snap het niet..."

„Hoor eens... neem nou maar van me aan dat ik het niet kon. Jij had kunnen blijven. Je had niet achter me aan hoeven komen."

Hij zwijgt, ademt zwaar en staart kwaad naar de grond.

„Waarom ga je niet terug," flap ik eruit. „Dan hoef je niks

van dat feestje te missen."

„Als jij met me mee teruggaat."

Ik heb zin om hem in zijn gezicht te meppen als hij dat zegt. Ik haat hem, ik haat hem omdat hij het niet begrijpt.

„Kom op," zegt hij. „Dan zeggen we dat je je gewoon niet lekker voelde en dat het weer beter gaat."

„Het gaat niet beter!" sis ik. „En ik dénk er niet over om terug te gaan."

„Fliss..."

„Néé!"

Het blijft een tijdje stil, dan zegt hij vermoeid: „Oké dan. Ik breng je naar huis, goed?"

„Doe geen moeite. Ga maar terug. Jij wilt er gewoon bij zijn."

„O, het is nu toch al zowat half voorbij. Trouwens, ik heb geen zin in al hun vragen."

„Wat voor vragen?" vraag ik gepikeerd.

„O, wat er met je aan de hand was... waarom je zomaar wegrende zonder dag te zeggen tegen mijn moeder en zo..."

„Jemig, Simon, jij maakt je er alleen maar druk over dat ik je moeder misschien heb beledigd, hè? Ik had niet moeten komen."

„O, hou eens op."

„Hé, sorry dat ik het verpest heb, nou goed? Ik voel me echt belazerd en shit en ik wil gewoon naar huis en naar bed. Oké?"

Hij kijkt weer naar de grond en als hij opkijkt, ziet zijn gezicht er zachter uit, berustend. „Het doet je heel veel, hè?" vraagt hij dan zacht.

„Ja, het doet me heel veel. Hoe zou jij je voelen als je vader plotseling de benen nam, denk je?"

Hij slaat zijn arm om me heen. „Kom op," zegt hij. „Ik breng je thuis."

Als we naar mijn huis lopen, dringt het langzaam tot me door wat voor afschuwelijks ik heb gedaan en ik denk: ik kan nooit meer naar zijn huis bellen. Maar het kan me niet schelen. Over dat soort dingen kan ik me echt niet druk maken. Als we afscheid nemen, laat ik hem beloven dat hij me morgen zal bellen, om zeven uur. We kussen, maar het voelt een beetje raar. Alsof het niet helemaal gemeend is, alsof hij een invalide kust of zoiets.

„Wanneer gaan we samen weg?" fluister ik. „Allemachtig, ik wil zo graag met je weg. Alleen wij tweetjes."

„Tja..." mompelt hij.

„Nou? Wanneer gaan we?"

„Met Pasen misschien?"

„O, Simon, dat duurt nog zo lang. Waarom kunnen we niet gewoon gáán? Het is allemaal onwerkelijk, Simon. Thuis is het onwerkelijk... mijn familie... alles, behalve jij."

„O, Fliss."

„Ik hou van je, Simon. Hou je van mij?"

„Ja. Ja Fliss, dat weet je toch."

We maken ruzie aan de telefoon, de volgende dag om zeven uur precies. Simon stelt voor dat we naar vrienden van hem gaan in hun vaste kroeg, *The Hedgehog and Stump*. Hij beweert dat het me zal opvrolijken. Ik kan er gewoon niet bij hoe stom hij is, zo ongevoelig. Ik wil niet in een menigte zitten. Ik zeg dat ik hém graag wil zien, en uiteindelijk krijg ik mijn zin en gaan we naar een ongezellige neptent aan de andere kant van de stad.

Het is geen leuke avond. Ik vraag hem of zijn moeder nog iets heeft gezegd over mijn vlucht van het diner. Hij haalt zijn schouders op, kijkt ontwijkend en zegt dat hij haar heeft verteld dat ik me niet lekker voelde.

„Daar heeft jouw oom Andrew zijn best wel voor gedaan," zeg ik.

„O, hij is best oké," mompelt Simon. „Hij stelt zich soms een beetje aan, maar..."

„Een beetje? Hij smeet zowat een hele fles whisky over mijn bord! En hij maakte constant vervelende opmerkingen..."

„O, Fliss... die waren niet vervelend bedoeld! Hij deed alleen maar zijn best om je wat te laten ontspannen zodat je kon meedoen!"

„Dus nu sta je aan zijn kant, hè?"

„Doe niet zo belachelijk, het gaat niet om kanten..."

„Je vond zeker ook dat ik te gespannen was, hè?"

Simon draait boos op zijn stoel en zegt dan: „Ik denk dat je je beter had geamuseerd als je gewoon had meegedaan. Ik bedoel... je nam niet eens de moeite om te proeven van de haggis."

„Ik zou nog eerder hondenpoep eten."

„Dat stond op je gezicht geschreven, ja!"

„Kan ik het helpen."

„Nou... Dat vonden ze niet leuk, dat is alles."

„O, dus zo zit het. Wat zei je moeder dan?"

„Net... net wat ik al zei. Dat je niet meedeed."

„Dat wilde ik ook niet! Ik vond het een zielig zooitje!"

Er volgt een lange stilte. Simon pakt zijn glas en neemt een slokje.

Ik wil dat hij het met me eens is, ik wil dat hij zegt wat een vreselijke avond het was, maar dat doet hij niet.

Uiteindelijk praten we over onbelangrijke zaken, over hoe stom het haar van de man achter de bar zit en zo.

Ik voel me heel somber als ik naar bed ga, echt hopeloos. Ik wou dat Simon meer... ik wou dat hij me niet zo vaak teleurstelde.

De hele zondag moet ik me voortslepen. Ik sluit mezelf op in mijn kamer. Tegen mijn moeder zeg ik dat ik aan een opstel werk. Ze gelooft me omdat ze dat graag wíl geloven, omdat het betekent dat ik haar niet in de weg loop, zodat ze zich kan concentreren op gezellig-gezinnetje spelen met mijn zusjes. Vandaag maken ze figuurtjes van brooddeeg. Phoebe laat het me opgewonden zien als ik een kop thee kom halen. „Kijk eens, Fliss... een hondje! Ik ga hem zo bakken!"

Terug in mijn kamer doe ik niet veel. Ik zit gewoon wat te zitten en voel me afschuwelijk, levend begraven. Ik probeer mezelf wijs te maken dat alles zal veranderen als ik met Simon wegga. Dan zal hij veranderen, dan zal ik veranderen.

14

Na wat er is gebeurd op Burns' Night ben ik zenuwachtig als ik op woensdagavond naar het huis van Simon ga. Maar ik kan het niet missen. Naast hem op zijn bed zitten. Praten, zoenen, plannen maken... de gedachte daaraan heeft me sinds het weekend op de been gehouden. En, denk ik, ik hoef zijn ouders niet te spreken, toch? Simon had me beloofd dat hij daarvoor zou zorgen.

Daarom schrik ik me wild als zijn moeder de deur opendoet. Ik voel me echt vernederd als ik voor haar neus sta, heb geen idee wat ik zeggen moet, heb niets voorbereid. Ik heb zin om in de grond te zakken. Hoe kan Simon dit laten gebeuren?

Zijn moeder verbreekt de stilte. „Hij is er niet," zegt ze kortaf. „Kom maar even binnen, oké?"

Ik denk er niet eens over om te weigeren. Ik loop haar achterna naar de keuken als een mak lammetje. Ze draait zich om en kijkt me aan over de keukentafel, alsof ze probeert te bedenken wat ze zal gaan doen.

Het blijft zo lang stil dat ik uiteindelijk degene ben die de stilte verbreek door schor te vragen: „Waar is hij?"

Ze zucht en zegt: „We hebben ruzie gehad. Hij is het huis uit gerend. Het begon allemaal... hiermee." Ze vist in haar zak en laat een pakje condooms op tafel vallen alsof het iets smerigs is, iets zieligs.

Ik voel me alsof ze me een klap in mijn gezicht gegeven heeft. Met een plof kom ik terug in de werkelijkheid. Mijn blik kan zich niet losmaken van het glanzende pakje.

„Ik heb ze gevonden in zijn bovenste la," gaat ze verder.

„Hebt u zijn lades doorzocht?" flap ik eruit.

Ze is verontwaardigd. „Nee. Nee Felicity, ik heb zijn lades niet doorzocht. Ik deed schone sokken in zijn la zoals elke week en daar lagen die… condooms. Erg open en bloot. Niet eens in een zakje. Nou ben ik geen afgestudeerd psychiater, maar het lijkt erop dat hij onbewust wilde dat ik ze zien zou, denk je ook niet?"

Ik haal mijn schouders op en blijf staren naar het pakje op tafel. Het is alsof ik mijn ogen er niet vanaf kan houden. En ik gun het haar niet om haar aan te kijken, geen denken aan. „Misschien wilde hij wel dat u zag dat hij geen kind meer is," mompel ik.

„Geen kind meer? Hij is vijftien. En hij is jong voor zijn leeftijd. Te jong hiervoor, in ieder geval."

„Dus daarom had u ruzie met hem."

„Ja. Nou… laten we het zo zeggen, daar begon het mee. We begonnen te praten. Toen hij eenmaal over de schok heen was dat ik die stomme dingen te voorschijn had getoverd, wilde hij wel praten."

Gekwetst kijk ik op. „Ik geloof niet dat hij… daar met u over heeft gepraat."

„Nou, dat heeft hij wel gedaan. En ik ben er blij om. Hij is helemaal in de war over zichzelf en jou… Hij is overstuur. Ik denk dat hij er gewoon nog niet klaar voor is, Felicity. Voor zo'n relatie."

Ik krul mijn lippen. „Vindt u niet dat dat onze zaak is?"

„Jawel. Maar dat is nou net het punt. Hij voelt het niet meer als zijn zaak. Hij vindt… hij zegt dat je hem onder druk zet."

Mijn gezicht wordt knalrood. „Heeft hij dat gezegd?"

„Kijk… hij is niet het type dat als voornaamste doel in zijn leven heeft om in bed te duiken met het eerste het beste meisje dat toegeeft. Hij denkt na over… weet je… over de gevolgen. En eigenlijk… eigenlijk ben ik daar trots op. Hij weet dat als hij met je naar bed begint te gaan… nou ja. Dat is te serieus, Felicity. Jullie zijn nog te jong en zoals het nu gaat… is het niet goed!"

Ik kijk haar woedend aan. Mijn wangen gloeien nog steeds.

„O jee, ik weet niet of ik het je moet zeggen," gaat ze snel verder. „Ik weet niet of ik nou meer kwaad dan goeds aanricht. Maar ik kan niet werkeloos toezien hoe ongelukkig hij is, echt niet. Al die druk waaronder jij staat, dat wat je doormaakt met je ouders en zo… dat zet hem ook onder enorme druk. En ik vind gewoon dat… nou ja. Jij wilt een echte, volwassen relatie met hem omdat thuis alles mis gaat."

„Dat is niet de reden," mompel ik. „Ik hou van hem. We houden van elkaar."

„Misschien wel. Maar jullie zijn nog zo jong voor zoiets serieus en nu hebben jullie het al over met elkaar naar bed gaan… ik snap wel waarom je het doet, Felicity. Je klampt je aan hem vast, omdat alles om je heen in elkaar stort."

Ik zwijg en kijk haar kwaad aan.

Ze gaat verder. „Weet je, ik voel enorm veel sympathie voor je. Kijk me maar niet zo aan… het is echt zo. Maar Simon kan het niet voor je oplossen. Hij kan het niet wegnemen, al die pijn die je lijdt. Hij is nog maar een jongen."

„Ik verwacht helemaal niet van hem dat hij alles voor me oplost. Hoe kan dat nou?"

„Dat zeg jij, maar hij voelt zich verantwoordelijk. Hij heeft het gevoel alsof hij het enige is wat je hebt… of hij alles is wat jij wilt… soms. Dat is voor iedereen te veel, Felicity."

Ik voel mijn wangen weer gloeien. Ze branden als ik weet niet wat. Simon moet haar alles hebben verteld, alles hebben herhaald waar we over hebben gesproken toen ik me echt, echt heel dicht bij hem voelde. Ik voel me zo verraden dat ik geen woord meer kan uitbrengen. En dan moet ik ineens ergens aan denken.

„Waarom is hij het huis uit gerend?" vraag ik koeltjes. „Wat hebt u tegen hem gezegd?"

Ze kijkt omlaag en schraapt haar keel. Met een vinger wrijft ze over een plek op tafel.

En in een flits weet ik het. Ze heeft hem verteld dat hij het moest uitmaken met mij, dat heeft ze gedaan.

15

Ik zeg niets meer, sta op, draai me om en loop weg. Zijn moeder, alles wat zij heeft gezegd, het kan me niet schelen – maar ik ben woedend op Simon. Woedend dat hij zo'n zielig, zwak mannetje is, woedend dat hij met zijn moeder over ons heeft gesproken. Aan het eind van de straat neem ik de bus en ga bovenin zitten. Ik kook van woede en terwijl de bus voorthobbelt, kijk ik of ik hem zie lopen. Het enige wat ik nog wil, is hem precies vertellen wat ik van hem denk.

Bij ons in de straat stap ik uit. Thuis ga ik meteen naar mijn kamer en zet *Tosca* heel hard op, dat laatste deel, waar ze overloopt van boosheid en verdriet omdat ze afgewezen is. Ik zweef mee op het geluid van haar stem en lig op bed met mijn ogen dicht. Plotseling tikt er iemand hard op mijn been. Mijn ogen schieten open en daar, naast me, staat Simon.

„Hoe kom jij boven?" vraag ik, naar adem happend.

„Alexa."

„Ik heb niks gehoord!"

„Vind je dat gek, met die herrie." Hij loopt naar de cd-speler en zet hem uit alsof dat de gewoonste zaak van de wereld is. „Hoor eens, Fliss, we moeten praten."

„Reken maar dat wij moeten praten. Idioot! Een pakje condooms zo neerleggen dat je moeder het vindt en haar dan alles vertellen… ik bedoel, jemig, wat voor zielenpiet ben jij, Simon, dat je met je moeder praat over vrijen met je vriendin? Als je ook maar verwacht dat ik hierna nog iets met je te maken wil hebben, moet je je laten nakijken. Je bent sneu, Simon, echt sneu."

Ik weet niet wat ik had verwacht. Dat hij terug zou schreeuwen of zou smeken, of iets dergelijks. Maar niet dit. Niet dat hij daar gewoon zou blijven staan en me aan zou kijken alsof hij me voor het eerst ziet. Hij knijpt met zijn ene hand zo hard in de andere dat die wit wordt.

„Het spijt me dat dat is gebeurd," zegt hij uiteindelijk op vlakke toon. „Het spijt me dat mijn moeder er was toen jij kwam. Ik was zo over de rooie dat ik was vergeten dat jij zou komen."

„O, fijn. Ze gaf me ervan langs."

„Nee, dat deed ze niet. Ze heeft me verteld wat er is gebeurd."

„O, geweldig! Dus je rende snel weer terug naar je mammie, hè? Voor je hierheen kwam."

„Ik ging weer naar huis omdat ik ineens bedacht dat jij zou komen. Toen vertelde mijn moeder dat je net weg was en wat er was gebeurd. Ik ben meteen hierheen gekomen."

„Aardig van je, zeg."

„Fliss, kun je daarmee ophouden? Met die hatelijke rotopmerkingen? We moeten praten."

Ik haal mijn schouders kwaad op. „Oké, praat maar. Onvolwassen idioot."

Hij werpt me een blik vol haat toe en zegt: „Oké, misschien ben ik te onvolwassen. En misschien ben ik wel te jong en onvolwassen voor de relatie die jij wilt."

Mijn maag knijpt samen van angst. Er is iets veranderd.

Alles is veranderd in de kamer.

Ik wou dat we konden stoppen en de band terugspoelen, teruggaan naar het punt waarop ik mijn ogen opendeed en hem zag. En deze keer zal ik niet zo venijnig doen, deze keer zal ik ook zijn kant van het verhaal zien, deze keer…

„We willen allebei iets anders, hè?" zegt hij. „Jij wilt een echte relatie, jij wilt iemand die er altijd voor je is, die je nooit in de steek laat, die wil dat er niets anders in zijn leven is…"

„Dat is niet waar," onderbreek ik hem.

„Het is wel waar! Het is… het wordt me te zwaar."

„Maar dat is pas sinds mijn vader het huis uit is."

„Nee, dat is niet zo! Sinds Kerstmis, al voor Kerstmis is alles veranderd tussen ons, Fliss. Kijk, toen je voor het eerst zei dat je met me wilde gaan, kon ik haast niet geloven dat ik zo'n mazzel had. Het was geweldig. Ik was er zo vol van dat mijn vrienden ervan baalden en klaagden dat ik het alleen maar over jou had. En we hadden het hartstikke leuk, toch, we konden goed praten samen… ik voelde me al goed als ik bij je in de buurt was. En toen je me begon te vertellen over alle shit tussen je ouders, was ik blij dat je open tegen me was."

Het is stil. Waarom doet hij dit? Waarom somt hij op wat onze relatie wás? Een soort terugblik op je leven voor je sterft.

„Maar het… ik weet niet," mompelt hij verder. „Het is net alsof ik erin gevangen zit. Alsof je te veel van me verwacht en dat wordt me te zwaar. Mijn vrienden zeggen al dat het lijkt alsof we getrouwd zijn."

„Is dat het enige waar je je druk om maakt? Over hoe je vriendjes over ons denken?"

„Nee! Nee, ik zeg alleen maar... andere mensen zien het. Dat het allemaal zo zwaar is geworden. En het gaat niet goed meer, hè? Jij bent altijd ongelukkig en we hebben ruzie en..."

„Hé... ik weet dat ik lastig ben geweest," zeg ik schor. Mijn keel zit nu zo dicht dat ik nauwelijks praten kan. „Chagrijnig en zo..." Mijn hele gezicht smeekt hem, maar hij ziet het niet. Hij kijkt niet maar mij, hij kijkt naar de vloer.

„Dat is het niet alleen," zegt hij zachtjes. „Je klampt je zo aan me vast dat het... dat ik ervan stik, Fliss! Je wurgt me!"

„Nou, het spijt me... Maar... Jemig. De laatste weken waren zo afschuwelijk, als je niet kunt..."

„Hoor eens, ik weet hoe moeilijk je het hebt. Echt waar. Ik weet wat je allemaal moet doormaken nu. Je hebt iemand nodig die er voor je is, die je kan steunen en zo. Maar Fliss, je legt het allemaal op míjn schouders en ik... ik kan de last gewoon niet meer tillen. Je wilt dat ik naar je luister en je steun en mijn vrienden laat vallen en... en ik ga erin mee, maar ik weet niet goed meer waarom, ik weet niet goed meer waarom ik het doe."

Ik voel hoe mijn binnenste in elkaar stort. Ik wil mijn klauwen in hem slaan, ik wil gillen, maar ik doe het niet. Ik stop alles weg, zorg dat er niets op mijn gezicht staat te lezen. „Wat probeer je nou te vertellen?" vraag ik koel.

„Het is geen kritiek op jou. Het is gewoon... jij hebt

iemand anders nodig, niet mij. De helft van de tijd heb ik het gevoel dat het je helemaal niet om mij gaat, trouwens. We hebben gewoon geen lol meer samen. Toch? Het is allemaal zo ernstig, en wat ik ook doe, het is nooit goed genoeg. Het eind van het liedje is dat je me altijd op die manier aankijkt en… Jemig. Ik heb het gehad. Ik heb er genoeg van."

Het is lang, heel lang stil. Ik voel me alsof mijn ingewanden uit mijn buik zijn gehaald. Letterlijk, alsof mijn ingewanden uit me zijn getrokken. „Dus hou je niet meer van me?" fluister ik uiteindelijk.

„Ik… ik… o, shit, ik weet het niet. Ik weet niet wat ik voel. Ik voel me zo onder druk gezet dat ik niets meer voel. Het… het werkt gewoon niet meer. Toch?"

„Vertel je me nou dat het uit is?" Ik weet niet hoe ik die woorden eruit krijg. Ik heb nog een klein beetje hoop dat hij het zal ontkennen, dat hij zal gaan praten over hoe we het weer goed kunnen maken.

Maar dat doet hij niet. Hij kijkt me recht aan en de opluchting op zijn gezicht is op de een of andere manier kwetsender dan alles wat hij heeft gezegd. „Ja, Fliss. Ik bedoel… we kunnen vrienden blijven en zo, we kunnen…"

„O, God…"

„Luister nou, Fliss, je hebt niks aan me op deze manier en… ik kan er niet meer tegen. Het spijt me."

Het is alsof er een deur in mijn gezicht wordt dichtgeslagen. En het enige dat ik kan bedenken, is hoe ik hem ook kan kwetsen. Hoe ik hem evenveel pijn kan doen als ik zelf voel. „Dus uiteindelijk deed je toch wat je mammie zei," zeg ik spottend. „Ze vertelde me dat je weg was gelopen omdat ze tegen je had gezegd dat je me moest dumpen."

Simon kijkt stomverbaasd. „Dat heeft ze helemaal niet tegen me gezegd! Ze zei... dat ik meer kwaad dan goed deed. Dat je hulp moet zoeken. Je weet wel. Professionele hulp."

Dan is het net alsof ik niet meer ademen kan, alsof ik verdrink. Ik trek mijn dekbed hoger op, tegen mijn kin. „Je kunt beter gaan nu," zeg ik. „Toe maar. Ga."

„Ik bel je wel. Over een week of zo, om te horen hoe het..."

„Doe geen moeite! Hé... ga nou maar!"

Hij gaat.

Ik trek het dekbed over mijn hoofd en verroer me niet, urenlang niet.

16

Ik kom de twee dagen daarna door op een golf van haat. Het is net alsof ik niets anders voel dan haat: het geeft me energie. Als ik een heks zou zijn, zou ik was smelten en er twee poppen van maken. Een van Simon en nog een van die trut van een moeder van hem en ik zou er allemaal naalden in prikken... Overal. In het echt vertel ik aan zoveel mogelijk mensen op school dat Simon bang was, omdat ik met hem naar bed wilde. Ik zie dat mensen naar hem kijken en gniffelen en ik zie dat hij er beroerd uitziet, wit en ellendig – daardoor brandt de haat nog beter.

Vrijdag tussen de middag loopt Mac, een van de stoerste jongens uit ons jaar, tegen me aan als ik de kantine uit loop. „Ik hoor dat je niet bevredigd bent, Felicity," zegt hij plagend en zijn vriend Joe lacht.

Ik haal mijn schouders op. „Wat gaat jou dat aan?"

„Ik had je zo wel kunnen vertellen dat je je tijd niet aan Simon Addisson had moeten verspillen."

„Ja. Nou, dat weet ik nu, hè. Dat we nooit iets met elkaar hadden moeten beginnen."

„Waarom deed je het dan?"

Ik haal mijn schouders nog eens op. „Kijk... het is *gewoon afgelopen*. Waarom zouden we er nog over praten?"

„Nou… je kunt altijd bij mij terecht, schat."

Ik lach, in de verdediging. „O ja? Ik ben heus niet op zoek naar een dekhengst."

„Hoor je dat, Joe? Fliss vindt me een dekhengst."

„Dat zei ik niet! Ik ben niet uit op iemand om het mee te doen, bedoel ik."

Ik loop verder. Hij roept me achterna: „Nou, denk er maar eens over na, Felicity! Het aanbod blijft staan!"

Ik loop door en ik kan het niet helpen, maar ik voel me gevleid. Mac is misschien een klier zonder hersens, maar hij ziet er goed uit. Hij kan bosjes meisjes krijgen. Als ik de klas in loop, denk ik nog eens aan de manier waarop Mac naar me keek. De afgelopen tijd keek Simon altijd naar me alsof hij zichzelf tegen mij in bescherming moest nemen. Mac keek heel anders. Simon wil me niet meer, maar Mac wel.

Tegenover Liz en Meg doe ik net alsof ik er niet kapot van ben dat het uit is met Simon. „Nu hoef ik tenminste geen cadeautje meer voor hem te kopen omdat we zes maanden verkering hebben," zeg ik. „Als je het zo bekijkt, hebben we het net op tijd uitgemaakt."

Liz moet lachen. „Ik snap niet dat het nog zo lang geduurd heeft."

„Ja. Hij was nog zo jong. Ik bedoel… hij was echt lief, maar het werd wel heel erg saai en voorspelbaar."

„Je bent toch wel een beetje verdrietig?" vraagt Meg.

„Eh… niet echt. Het was hoog tijd dat er een eind aan kwam. Ik bedoel… hij was gewoon nog te onvolwassen voor de volgende fase."

Daar moeten ze allebei om giechelen. En Meg zegt: „Vind

je het niet vervelend dat mensen erover praten?"

„Waarom zou ik? Dat is zijn probleem."

„Hm."

„Waarom zou ik me moeten schamen? Er zijn genoeg jongens die met me naar bed zouden willen... Ik kreeg vanochtend nog een aanbod."

„O ja?" gilt Meg. „Van wie dan?"

„Mac."

Daar kreunen ze allebei om en Liz zegt: „Nou, ik vind het knap zoals je ermee omgaat. Maar verwacht nou niet dat je... weet je... de deur zomaar achter je kunt dichtdoen, Fliss. Ik bedoel... vooral nu je vader..."

„Het gaat hartstikke goed met me," val ik haar in de rede.

„Ja. Ja, dat weet ik. Maar je krijgt ook dagen waarop je alleen maar moet huilen. Je zei altijd dat het zo fijn was dat er iemand zo gek op je was..."

„Ja, maar ik kreeg het te benauwd. Het werd verstikkend. Ik had het gevoel dat ik geen lucht meer kreeg." Ik besef dat ik dezelfde woorden gebruik als Simon en weet niet of ik moet lachen of huilen. Maar ik hou mijn gezicht in de plooi voor Liz en Meg. Als ik doe alsof het allemaal goed gaat, geloof ik het zelf ook bijna. Dat helpt.

„Club Nitrate," zegt Meg. „Morgenavond."

„Reken maar," kaats ik terug.

„Kom je me om acht uur ophalen?" vraagt Liz. „Dan kunnen we ons met z'n drieën opmaken en zo. Ik heb wat tequila thuis."

„Geweldig. Ik neem de limoen wel mee... als Meg voor het zout zorgt."

En zo kom ik de vrijdag door. Ik red me wel. Het gaat goed. Mijn moeder is er niet als ik thuiskom uit school, en Alexa en Phoebe zijn ook nergens te bekennen. Het is een opluchting dat ik het huis voor mij alleen heb. Ik heb mijn moeder nog niet verteld dat Simon het heeft uitgemaakt. Ik wacht wel tot het weekend, als ik zeker weet dat ik het haar rustig kan vertellen, als ik zeker weet dat ik het allemaal onder controle heb.

Ik ga onderuit voor de tv zitten. Er is niets op tv. Uiteindelijk kijk ik naar een documentaire over het werk dat meisjes in de jaren vijftig in fabrieken deden, voordat ze gingen trouwen. 'Licht lopendebandwerk' wordt het genoemd. Gloeilampen testen, koekjes inpakken, parfumflesjes vullen. Het ziet er wel leuk uit op de een of andere manier. Een soort veilige hersendood. Geen wensen. Geen kans op mislukking.

Om half zes belt Mary aan, onze dikke, nieuwsgierige buurvrouw van twee huizen verderop. Ze staat op onze stoep met mijn zusjes. „Is je moeder alweer terug?" vraagt ze terwijl ze langs me de gang in gluurt.

„Nee."

„O. Ik had gedacht van wel. Ze zei dat ze niet lang weg zou blijven. Ze had me gevraagd om jouw zusjes van school te halen en een uurtje op ze te passen, maar ze hadden het zo leuk met het oude poppenhuis van mijn Karen dat ik dacht: laat ze nog maar even blijven, en..."

„Bedankt, Mary," onderbreek ik haar. Ik wil dat ze weggaat.

„Ze wilde me niet vertellen wat ze ging doen. Heeft ze

geen briefje achtergelaten?"

„Ik heb niks gezien."

„Ik kreeg de indruk dat er iets gebeurd was... O, nou, het zal wel goed zijn allemaal. De meisjes hebben nog niets gegeten, liefje. Alleen maar wat koekjes."

„Ik zal wel iets voor ze maken," zeg ik en langzaam begin ik de deur dicht te doen. Mary snapt de hint, zegt gedag en waggelt het pad af.

Ik kijk naar Phoebe en Alexa. Meestal rennen ze meteen naar de tv, maar ze staan nog steeds in de gang en kijken beteuterd. „Waarom gaan jullie niet even tv kijken?" vraag ik.

„Ik heb honger," kondigt Phoebe klagend aan.

„Waar is mama heen?" vraagt Alexa zenuwachtig. „Ze had ons niet verteld dat Mary ons van school zou halen en ze zegt het áltijd als iemand anders ons komt halen..."

„O Alexa, zeur niet zo!" snauw ik. Plotseling ben ik net zo bang als zij en dat brengt me van mijn stuk. Ze is bang dat mama bij ons weg zal gaan, net als mijn vader. Wat gebeurt er met kinderen als allebei de ouders hen in de steek laten?

„Ik zeur niet," jengelt Alexa, „maar..."

„Weet je wat we doen?" zeg ik hard. „Pizza bestellen!"

„Pizza!" juicht Phoebe.

„Heb je genoeg geld dan?" vraagt Alexa.

„Ja hoor. Zo... jullie vinden pizza Hawaï lekker, hè? Die met ham en ananas."

Ze knikken allebei gretig en verdwijnen dan naar de achterkamer. Ik hoor de tv aangaan. Dan loop ik naar de keuken en kijk of er een briefje van mijn moeder ligt. Als ze een briefje voor me maakt, legt ze het altijd op de trap, maar misschien had ze erge haast... Er ligt ook niets in de keuken. Ik voel kleine spoortjes paniek in mijn borst. Het is gewoon niks voor haar om te laat te zijn en ons niet te vertellen waar ze zit. Ik denk... ik kan er niet tegen, ik kan het niet aan. Niet nu Simon me heeft laten zitten. Ik kan het niet.

Die gedachte schud ik weer van me af, duw hem van me af en dan vind ik het noodpotje van mijn moeder. Het staat op de hoogste plank, zodat je er niet makkelijk bij kunt. Er zit een aardig bedrag in, in briefjes en munten. Ik pak het allemaal en loop naar de telefoon in de gang.

Als ik het pizzarestaurant bel, valt mijn blik op het mobiele nummer van mijn vader dat op het rode prikbord boven de telefoon hangt. Als mijn moeder om zeven uur nog niet terug is, of als ze tegen die tijd nog niet heeft gebeld, zal ik hem bellen. Hij is dan wel bij ons weg, maar hij blijft onze vader, toch?

De pizza's komen, een grote pizza Hawaï voor hen en een kleine peperoni-pizza voor mij. We eten ze met onze vingers uit de doos, voor de tv, en mijn zusjes ruziën om wie de laatste punt mag. Ik heb geen zin om op mijn horloge te kijken. Ik weet dat het bijna zeven uur is en ik vind het vreemd om mijn vader te bellen. Hij is uit het leven van mijn moeder verdwenen; hoe zou hij nu moeten weten waar ze zit? Misschien wacht ik wel tot halfacht.

Alexa slaat haar armen om haar knieën en wiegt zichzelf. Dat doet ze altijd als ze zich zorgen maakt. Ik wil haar toesnauwen dat ze ermee op moet houden, maar ik beheers me. Dan komt de reclame en kijkt ze naar mij. „Fliss, wanneer komt mama thuis?"

Ik geef geen antwoord. Ik sta op en loop naar de gang, pak de telefoon en toets het nummer van mijn vader in. Hij gaat over. Gaat over. Ik merk dat ik me afvraag waarom hij niet opneemt: wat zou hij aan het doen zijn? Dan krijg ik zijn voicemail. Ik luister hem helemaal af, maar als de piep is gegaan, kan ik niks zinnigs bedenken om in te spreken. Dus verbreek ik de verbinding weer. Hij weet toch dat ik heb gebeld. Dat wordt zichtbaar als gemiste oproep op het schermpje van zijn mobiel.

Ik loop de keuken in en zet water op voor thee. Vooral omdat ik de reusachtige, ongeruste ogen van Alexa niet meer wil zien. Dan gaat de telefoon. Ik ren erheen en pak hem. Ik verwacht mijn vader, maar mijn moeder is aan de lijn, vanuit een telefooncel.

Ik denk tenminste dat zij het is. Ze klinkt zo raar.

„Felicity? Luister eens... alles is goed. Met mij is het goed. Ik ben onderweg naar huis. Nog een paar uurtjes."

„Waar ben je geweest? Waarom heb je niet..."

„Ik zal het je vertellen als ik thuis ben, oké? Wil je iets voor me doen? Wil je tegen de meisjes zeggen dat alles goed met me is... dat ik uit ben met Jane of zoiets... en wil jij ze naar bed brengen? Ik kan ze niet onder ogen komen vanavond."

„Wat? Mam, je maakt me ongerust!"

„Het is oké, Felicity. Het gaat goed met me. Het gaat goed met ons. Het is alleen... ik ben over een paar uur terug, goed?"

En dan hangt ze op. Dat kan ik gewoon niet geloven.

17

Ik doe alles wat ze vraagt. Het lukt me te glimlachen als ik de kamer weer in ga. Ik bedenk een of ander leugentje over mijn moeder. Dat ze als verrassing een avondje mee uit was genomen door Jane. En dat ze zo'n lol hadden, dat ze de tijd was vergeten. Is het niet fijn dat ze het leuk heeft? Ik krijg mijn zusjes nog vroeger naar boven dan anders. Ik ben erg gezellig en ik zet het bad voor ze aan en lees ze voor en dan ga ik naar de keuken om op mijn moeder te wachten.

Om tien over tien komt ze eindelijk thuis. „Slapen ze?" vraagt ze met een schorre stem.

Ik knik. Haar stem klinkt vreemd, alsof elk woord haar moeite kost. Ik wil mijn armen om haar heen slaan, maar ik kan het niet. Ik ben bijna bang van haar. Ik voel me net zoals vroeger toen ik klein was, als ik haar wilde knuffelen zodat ze niet meer boos zou zijn, maar bang was dat ze daardoor nog bozer zou worden. Ze ziet er verschrikkelijk uit... wit, ziek... en ze is zo boos dat ze er zowat van knettert. En ik zie nog iets anders aan haar, iets dat op haat lijkt.

„Wat is er gebeurd?" fluister ik.

Ze loopt naar de gootsteen en vult een glas met water. Ze drinkt het leeg en heel eventjes ben ik bang dat ze zal gaan overgeven. Ze staat gebogen over de gootsteen, alsof ze heel misselijk is. Dan zet ze het glas neer, draait zich om en kijkt me aan. „Ik zal je alles vertellen," zegt ze zachtjes en haar ogen boren zowat door me heen. „Je vader woont samen met een andere vrouw."

„Wat?"

„Een vriendinnetje. Hij is verdomme bij zijn vriendinnetje ingetrokken." Haar gezicht staat helemaal strak, een waanzinnig, ijzig masker. Haar mond beweegt nauwelijks, maar er blijven afschuwelijke woorden uit komen, ze stromen eruit als bijtend zuur. „Die vuile leugenaar... o, ik kan het niet verdragen. Ik kan het niet geloven. Het is zo, zo... banaal! Al die keren dat hij over moest werken. Het kwam niet eens in me op om aan zijn verhalen te twijfelen. En al die stomme ruzies die we maakten, over dat ik een bedrijf wilde beginnen en over dat hij me niet genoeg hielp... daar ging het dus verdomme helemaal niet om. Hij had iemand anders en voelde zich schuldig, dus zocht hij ruzie en gedroeg zich als een zak... Ik weet wat hij wilde. Hij wilde bewijzen dat ons huwelijk voorbij was, zodat hij een excuus had om weg te gaan. Al die ruzies, al die keren dat hij zo verrekte snel geïrriteerd was, dat hij wegstormde en op de bank ging slapen als er iets was voorgevallen..." Dan kokhalst ze, draait zich om naar de gootsteen en buigt voorover.

Mijn hersens zijn verdoofd. Ik kan me niet concentreren op wat ze zegt. „O, mam," mompel ik. „Mam."

„Ik heb hem vanmiddag gebeld. Op zijn werk. Hij had zijn mobiele telefoon uitgezet. Ik had al twee keer een boodschap ingesproken, maar hij belde niet terug en ik moest met hem over geld praten, over al het geld dat van de rekening verdween..." Dan zwijgt ze even. Ze laat een verschrikkelijk lachje horen en zegt: „Nou, dat raadsel heb ik nu in ieder geval opgelost, hè? Hij gaf het geld aan haar uit."

Ze draait zich weer naar de gootsteen, vult het glas nog een keer en zegt: „In plaats van je vader kreeg ik Harry aan de lijn... je weet wel... de man met wie hij op de kamer zit. Harry en ik konden het altijd goed met elkaar vinden. Hij gaf door wanneer je vader weer bereikbaar zou zijn en toen vond hij kennelijk dat hij iets moest vertellen, want hij zei bijna in tranen: 'Stephanie, ik wil dat je weet dat Martin zich volgens mij volslagen idioot gedraagt, en als er iets is dat ik kan doen...' Nou, dat vond ik vreemd. Hoe meer ik erover nadacht, hoe vreemder ik het vond. Ik flipte gewoon. Ik móést uitzoeken wat er aan de hand was. Nou... ik denk dat ik diep van binnen al wíst wat er aan de hand was."

„Bedoel je dat je wel wist dat hij een vriendin had?" vraag ik schor.

„Min of meer. Het viel allemaal op zijn plek toen Harry het zei. Al die keren dat hij overwerkte, die smoezen die niet helemaal klopten... dat soort dingen. Ik heb Mary gevraagd of ze de kinderen wilde ophalen en ben naar je vaders werk gereden. Ik wist niet wat ik deed, ik wist alleen maar dat ik het doen moest. Ik reed naar de parkeerplaats, zette mijn auto zo neer dat hij hem niet kon zien en hield zijn auto in de gaten. Ik heb er uren gezeten. Toen kwam hij naar buiten. Met een vrouw. Niets bijzonders... bruin, halflang haar, nogal lang. Jonger dan hij. Uiteraard. Het had gewoon een collega van hem kunnen zijn. Ik wist niet zeker of zij het was, natuurlijk. Hij was aan het woord en ze keek hem voortdurend aan en ze stapten samen in zijn auto. Toen reed hij weg en ik erachteraan."

Mijn moeders stem is hees en schor. Ze neemt nog een slok water. Het is net alsof het slikken haar pijn doet.

„Zag hij je niet?" vraag ik. „Toen je achter hem aan reed?"

„Ik reed niet zo dicht op hem. En ze gingen nogal op in hun gesprek. Hij reed naar de andere kant van de stad, naar die nieuwe flats daar. Van die mooie, nieuwe flats. Ik zette m'n auto aan de overkant van de straat, toen hij zijn auto parkeerde. En ik zag hoe ze samen de auto uit stapten en... hij sloeg zijn arm om haar heen en ze keek op en hij kuste haar... hij kuste haar echt."

Ik voel me versteend. Ik hoor wat ze zegt, maar het dringt niet tot me door, niet echt.

„Ik heb de straatnaam en de naam van de flat opgeschreven," zegt ze gespannen en ze gooit een papiertje op de keukentafel. „Maar ik ben niet lang genoeg gebleven om het huisnummer te zien."

Het blijft lang, heel lang stil. Het enige licht in de keuken komt van de lampjes onder de kastjes. Meestal vind ik dat gezellig, maar vanavond voelt het als heel erg donker.

„Je weet niet zeker of hij er woont," fluister ik.

„Nee, dat is waar. Maar het lijkt me nogal duidelijk, Felicity. Hij deed zo vaag over die vriend waar hij logeerde... wilde me het telefoonnummer niet geven, zei dat hij niet meer overlast wilde veroorzaken dan hij al deed. Ik moest zijn mobiel maar bellen... En nadat ze hadden gekust, liep die vrouw naar de kofferbak van de auto en haalde er een paar tassen met boodschappen uit. Hij nam er een van haar over toen ze naar de voordeur liepen. Allemaal erg gezellig." Ze zwijgt en voegt er dan bitter aan toe: „Dat heeft hij voor mij nooit gedaan."

„Wat heb je daarna gedaan?" vraag ik zuchtend. „Tot je naar huis ging?"

„Joost mag het weten. Ik heb rondgereden. Ben een pub in gegaan en heb een dubbele whisky gedronken. Ik heb geprobeerd Jane te bereiken. Ik heb jou gebeld. Ik heb mijn auto ergens neergezet en heb zomaar een eind gelopen. Het spijt me dat ik niet eerder thuis was, maar ik voelde me zo beroerd. Ik wilde niet dat jullie me zo zouden zien..."

„Het is oké," onderbreek ik haar. „Het is oké. Wil je een kop thee?"

„Nee, schat. Ik ga naar bed. Hé... bedankt dat je voor de meisjes hebt gezorgd. Ik zal iets bedenken om morgen tegen ze te zeggen, iets waardoor ik het makkelijker voor ze maak. Ik kon het voor jou niet verbergen." Ze kijkt naar me alsof ze wil dat ik het met haar eens ben. Ze wil dat ik haar geruststel en zeg dat ze het natuurlijk aan mij moest vertellen. Het lukt me om te knikken alsof ik het begrijp.

„Zeg maar niets tegen hen, hè?" gaat ze verder. „Morgenochtend. Luister... het komt allemaal goed. Hij is weg, we zijn uit elkaar... Waarom we uit elkaar zijn, doet er eigenlijk niet echt toe, toch? En over al die leugens kom ik wel weer heen. Misschien is het nu makkelijker om een nieuwe start te maken."

„Maar waren jullie niet... ik bedoel, jullie hadden het er toch over om weer bij elkaar te komen?"

„Precies: we hadden het erover. Het zou heus niet echt zijn

gebeurd. Dat wist je toch wel?"

Ik haal mijn schouders op. Ik wil het niet weten.

„Ik moet nu naar bed, oké Felicity?" Ze waggelt naar de kast met drank en schenkt zichzelf een glas cognac in. Dan gaat ze de kamer uit en roept over haar schouder: „Wil je de lichten uitdoen als je naar bed gaat, lieverd?"

En ik blijf alleen achter, bitter en verlamd door alles wat ze me heeft verteld. Hij heeft ons gedumpt. Mijn moeder, mij, Alexa en Phoebe... wij vieren kunnen niet op tegen de lange vrouw met het bruine haar. In mijn wanhoop wil ik Simon bellen om hem te vertellen wat er is gebeurd. Hij zou vast komen, dat zou hij wel moeten. Zoveel is hij me wel verschuldigd. Ik wil bij hem zijn als ik begin te ontdooien, als ik weer begin te voelen... Maar dat kan niet... Ik kan hem onmogelijk bellen. Ik moet het in mijn eentje verwerken. Ik voel een angst in me naar boven komen, een verschrikkelijke angst, angst voor hoe ik mijn leven vanaf nu moet leiden terwijl niemand mij wil. Ik geef de angst een flinke mep en duw hem met al mijn kracht naar beneden.

Het papiertje dat mijn moeder heeft neergegooid, ligt nog steeds op de keukentafel. Ik pak het op en lees: *Magpie Place, Bridge Street*. Ik leg het weer precies zo neer als het lag, zodat mijn moeder niet weet dat ik het heb gezien, en ga ook naar bed.

18

Ik word vroeg wakker, al om half zeven ongeveer. Volgens mij hoor ik mijn moeder huilen in haar kamer. Ik blijf stokstijf liggen. Ik kan me niet verroeren. Al die zinnen die mensen tegen zichzelf zeggen om in beweging te komen… kom op, opstaan, even een kop thee, aan de slag… ze helpen niet, ze betekenen niks op dit moment.

Mijn moeder kan me niet helpen. Ze wil dat ik háár help. Maar ik kan haar niet helpen. In mijn gedachten zie ik Simon naast mijn bed staan. Hij zegt: je klampt je zo aan me vast dat ik stik, Fliss! Ik zie hoe mijn vader een vreemde kust, een tas boodschappen van haar overneemt en met haar meeloopt naar haar flat.

Zij hebben ons dit aangedaan, toch? Het is hun schuld.

Ik ben weer in slaap gevallen, want als ik weer wakker word, is het bijna elf uur en hoor ik Phoebe keihard zingen beneden. Mijn moeder roept iets naar haar, gespannen en geforceerd opgewekt. Ik wil weer slapen, vluchten in de vergetelheid, maar ik denk: als ik nu niet in beweging kom, zal ik nooit meer kunnen opstaan.

Dus trek ik een spijkerbroek aan en een oude fleecetrui en loop sloom de trap af.

„Hallo, lieverd!" zegt mijn moeder. „Wil je wat toast?"

Ik kijk naar haar gezicht. Ik zie het waanzinnige masker onder haar glimlach, maar alleen omdat ik weet waar ik moet kijken. Terwijl ik een bord uit de kast pak en mijn zusjes ruziemaken over een schaar voor de papieren poppetjes die ze aan het knippen zijn, loopt ze snel op me af en fluistert: „Ik heb ze niks verteld. Je weet wel..."

„Wanneer doe je het dan?" vraag ik zachtjes.

„Nou... misschien hoef ik niks te zeggen. Wat vind jij?"

Ik haal mijn schouders op en ze gaat verder: „Hij komt vandaag om twee uur. Hij neemt ze vanmiddag mee naar de kinderboerderij. Dat hadden we afgesproken vóór... voor je weet wel."

„Voor je het wist."

„Ja."

„Maaa-mie," roept Phoebe. „Zijn er ook varkens op die boerderij?"

„Ja schat, dat weet je toch. En geiten en koeien..."

„...en ezels en paarden..."

„...en eenden. En kippen."

„En krijgen we een ijsje van papa?"

„Het is te koud voor ijs, Phoebe. Hij trakteert jullie vast wel op iets anders."

Daar is Phoebe zo van onder de indruk dat ze stilvalt. Ze knipt verder en neuriet voor zich uit. Mijn moeder sist me toe: „Ik wil hem vandaag niet zien. Ik bedoel... ik kom hem snel genoeg wel weer eens tegen. Maar niet vandaag, niet als de meisjes erbij zijn."

Ik smeer boter op mijn toast en schenk een kop thee in, en terwijl ik me nog afvraag of ik moet reageren op mijn moeders opmerking, zegt ze: „Het lukt zo ook wel. Zij kunnen hem binnenlaten, toch? Ik bedoel... we hebben een tijd afgesproken en als hij ze terugbrengt... dat zal wel goed gaan, toch?"

„Ja," mompel ik.

„Het is gewoon... als ik alleen zijn gezicht maar zou zien, zou ik uit mijn dak gaan, dat weet ik zeker. Dan zou ik iets stoms doen. Weet je, het enige waar ik aan kan denken, is dat ik in de auto wil stappen, naar hun liefdesnestje rijden en hem ermee confronteren..."

Ik pak mijn bordje toast en mijn kop thee en loop de keuken uit, terug naar mijn kamer. Ik kan het niet meer aanhoren, ik kan het niet, ik kan het niet verdragen. Mijn moeder maakt me bang. Het is net alsof er iets vreselijks in haar leeft dat ieder moment naar buiten kan uitbarsten en ik voel precies hetzelfde in me, iets dat zich aan mij heeft vastgezogen... het wil zich een weg banen door mij heen en ik heb al mijn wilskracht en energie nodig om het onder controle te houden.

Ik blijf in mijn kamer zitten met de deur op slot, achter mijn bureau. Ik kijk naar mijn schoolboeken en voer geen steek uit. Om één uur roept mijn moeder dat ze boterhammen voor de lunch heeft gemaakt. Ik ga naar beneden, maar ik kan nauwelijks een halve boterham door mijn keel krijgen. Mijn moeder lacht een 'we-redden-het-best-hè'-glimlachje. Knipoogt alsof we samen een geheim hebben, alsof we samen de waarheid verbergen voor Phoebe en Alexa. Na de lunch ga ik weer naar boven, ga zitten en doe niets. Ik hoor mijn vader beneden. Hij belt aan tegenwoordig, hij gebruikt de sleutel niet meer. Ik hoor mijn zusjes druk doen, ze roepen mijn moeder. Zij roept naar beneden, vrolijk en gezellig en onecht: „Veel plezier, meiden."

Ik vraag me net af of mijn vader nog naar mij zal vragen, als ik de voordeur alweer hoor dichtslaan.

Dan blijf ik zitten wachten, enorm gespannen. Ik vraag me af of mijn moeder haar hoofd nog om mijn slaapkamerdeur zal steken omdat ze wil praten. Ik bedenk wat ik zeggen kan om haar weg te jagen. Maar in plaats daarvan hoor ik harde rockmuziek uit de keuken. Het duurt dertig seconden, dan klinkt het nog harder. Ik zet mijn koptelefoon op. Opera. Ik dwing mezelf elk nootje te volgen zodat er niets meer bij kan in mijn hoofd.

19

Die avond ga ik om half negen naar Liz. Onderweg besluit ik om niet met Meg en Liz over mijn vader te praten, niet te vertellen waar hij nu woont. Ik ben er misselijk van, kotsmisselijk van alles; ik wil me ervan losscheuren.

In mijn portemonnee heb ik de restanten van het noodpotje van mijn moeder, die ik na de pizza's van de vorige avond heb achtergehouden, plus nog wat geld van mezelf. Ik denk er niet over na of dat goed of fout of oneerlijk of wat dan ook is; het enige dat me interesseert, is dat ik goed bij kas zit. Ik stap een avondwinkel in en vraag om een fles tequila, en omdat ik mijn ogen heb opgemaakt en mijn stem hard en krachtig laat klinken, knippert de man achter de toonbank niet eens met zijn ogen. Hij overhandigt me de fles.

Zodra ik de winkel uit ben, maak ik de fles open en neem een slok. Het is goor, maar ik kan het binnenhouden. Algauw voel ik het door mijn lichaam stromen. Ik heb nauwelijks iets gegeten vandaag, dus de alcohol werkt snel. De klem in mijn hoofd verslapt iets, de wurggreep om mijn borst wordt minder strak. Ik krijg meer lucht.

„Jemig, Fliss," zegt Liz als ze de deur voor me opendoet. „Ik zei toch dat we al tequila hadden!"

„Nou, die bewaren we voor de volgende keer. Bovendien

ga ik geen drankjes in Club Nitrate kopen, die kosten daar een fortuin." Ik dring me langs haar heen en ren de trap op naar haar kamer. Meg is er al, ze staat voor de spiegel haar haar te krullen met de krultang van Liz. Ik zwaai met de fles tequila in haar richting en ze lacht. „Heb je haast of zo? Wil je niet wachten tot we klaar zijn?"

„Dan nemen we er toch nóg een," zeg ik. „Kom op."

We zijn bijna een jaar geleden met dit tequila-ritueel begonnen, omdat we wel hielden van de effecten van alcohol, maar niet van de smaak. We deden het altijd als we met zijn drieën uitgingen, als een soort snelle start van de avond.

Meg legt de krultang neer, rommelt in haar tas en duikelt er een citroen uit op. Dan neemt ze het nagelschaartje van Liz en snijdt hem onhandig in stukjes. Ondertussen pakt Liz de drie kleine glaasjes die ze in haar kamer heeft verstopt. „Oké," giechelt ze en ze vult de glaasjes tot de rand. „Zout? Hier, steek je hand eens uit, Meg. Heb je de citroen al klaar? Oké, Vijf! Vier! Drie! Twee!" We likken aan het zout. „Een!" We krijsen vol afgrijzen – zogenaamd, en slaan de tequila in één teug achterover. Dan grijpen we ieder een schijfje citroen en zuigen erop om de smaak weg te nemen.

„Zeg… hebben jullie dit nog vaak gedaan?" wil ik weten.

Meg werpt een blik op Liz. „Het is niet hetzelfde met z'n tweeën. Trouwens, we zijn aan de witte wijn gegaan."

Liz trekt een vies gezicht. „Jij bent aan de witte wijn gegaan. Ik vind het smerig."

„Het is iets wat je moet leren drinken," zegt Meg plechtig.

Terwijl ze met elkaar kletsen, pak ik de tequilafles en draai me om. Voor ik de dop erop schroef, neem ik nog een slok.

„Hoe laat gaan we?" vraag ik.

„Om tien uur?" stelt Liz voor. „Vroeg genoeg om nog goedkoop binnen te komen, en laat genoeg om de boel daar al een beetje swingend aan te treffen."

Een uur later, als we helemaal zijn opgemaakt en klaar om weg te gaan, doen we het tequila-ritueel nog een keer. Dit keer neem ik niet eens de moeite om het te verbergen, maar schenk mezelf gewoon nóg een glas in als we het eerste leeg hebben.

„Jemig Fliss, kijk uit," zegt Liz. „Straks val je nog om."

„Ja, je wiebelde al toen je je schoenen aantrok," beweert Meg.

„Ik voel me pri-hi-ma," zeg ik. „Kom op, we gaan."

„Zo," zegt Liz als we naar de bushalte lopen. „Ik neem aan dat jullie twee tekeer zullen gaan. Om wraak te nemen op het mannelijk geslacht en zo."

Ik kijk naar Meg. „Waarom... wat is er gebeurd?"

„Jake," zegt Liz.

„Wát?"

„Hij had een ander," vertelt Meg bitter. „Ik had gelijk. Ze stelde hem een ultimatum en... hij koos voor haar."

„O... lekker."

„Waar ik zo van baal, is dat ik respect voor haar heb. Echt. Ik bedoel, ik wist ook iets van haar. Min of meer. Maar ik stelde hem niet op de proef. Maar zij... zij pikte dat 'laten-we-elkaar-vrij-laten-ga-me-niet-controleren'-gedoe niet."

„Ja, maar jij bent beter af," zegt Liz loyaal. „Nu, tenminste. Ik bedoel... zij zit met hem opgescheept. Veel geluk!"

Er staat nog nauwelijks een rij bij Club Nitrate en we lopen zonder veel oponthoud achter elkaar naar binnen, langs de knipogende portier. Als ik de lange, donkere trap met de lichtjes opzij af loop, voel ik dat ik behoorlijk dronken ben. Ik zigzag door de ruimte. Maar het kan me niet schelen. Ik voel me oké. Beter dan ik me al een hele tijd heb gevoeld.

Sokka D begint net te draaien als we beneden zijn. Ik heb hem maar één keer eerder gehoord en ik was vergeten hoe goed hij was. Hij komt gewoon je hoofd binnen, neemt de boel over, heeft je onder controle. Al snel komen we in beweging. De muziek is hard en ritmisch en ik vergeet alles; ik dans alleen nog maar heel wild. Ik schreeuw naar mensen. Er is een hele menigte op de dansvloer en ik verlies Meg en Liz uit het oog, maar dat maakt niet uit, ik blijf gewoon bewegen alsof de boel zal instorten als ik ophoud. Ik ga door met dansen. Dan staat Meg naast me en ze geeft me een flesje water. Ik zet het aan mijn mond en de helft gaat ernaast. Ik lach en zeg haar dat het heerlijk is, al dat water over mijn lijf, lekker koel.

Even later komt de jongen die de laatste twee nummers naast me stond te dansen, naar me toe. Hij schreeuwt in mijn oor: „Wil je iets echts drinken?" Ik knik en samen lopen we in de richting van de bar. Ik vraag om een tequila sunrise omdat ik bedenk dat een beetje jus wel zal helpen tegen de kater morgen. We gaan tegen een muur staan en drinken onze drankjes. Hij komt steeds dichter bij me staan en dan neemt hij het drankje uit mijn hand en zet het op een tafel. Hij doet zijn armen om me heen en we beginnen te zoenen. Ik probeer me te herinneren hoe hij eruitziet, maar dat lukt me niet. En ineens vind ik het ontzettend grappig om mijn tong in de mond van iemand te hebben wiens gezicht ik me niet eens meer voor de geest kan halen, en ik moet lachen.

Hij trekt zijn hoofd terug: „Wat is er zo grappig?"

Hij ziet er best leuk uit. Beetje ruig. Donker, met brede schouders.

„Niks," zeg ik naar adem snakkend en ik doe mijn best niet weer in lachen uit te barsten. „Niks."

„Wil je nog dansen?"

„Ja hoor."

Hij pakt mijn hand en we lopen de dansvloer weer op. Maar mijn energie is op en het voelt alsof de muren heen en weer gaan. Ik dans nauwelijks meer, wieg alleen nog maar een beetje heen en weer en langzaam stuurt hij me over de vloer, duwt me zachtjes een hoek in. Er is een klein, laag muurtje en als we daar achter staan, begint hij me weer te kussen. Zijn hand ligt op mijn borst en ik doe snel een stap terug, maar hij trekt me weer tegen zich aan. Zijn hand knijpt nu zo hard in mijn borst dat het pijn doet, en hij blijft zijn tong maar in mijn mond duwen. Net als ik denk dat ik moet overgeven of zoiets, hoor ik de stem van Liz.

„Fliss? Fliss! Kom op, we gaan. De taxi wacht."

De jongen houdt op met zoenen en scheldt haar uit. Ze scheldt terug en kijkt hem woedend aan. Ze legt haar hand op mijn arm en trekt me weg. En dan doet de jongen ineens keurig en aardig, omdat hij weet dat Liz heeft gewonnen. Hij pakt een klein, wit kaartje uit zijn zak en steekt het voor in mijn topje. „Als je ooit zin hebt om samen iets te drinken of zo," zegt hij, „dan geef je maar een belletje."

„Sjongejonge," zegt Liz terwijl ze me de trap optrekt. „Wat een ego. Staat zich daar in je vast te bijten als een hond in een dood konijn en dan durft hij zijn telefoonnummer nog in je decolleté te stoppen ook. Laat eens zien." Ze haalt het kaartje uit de voorkant van mijn jurk. „Jemig. Ik wed dat hij er een hele voorraad van heeft, zodat hij ze kan uitdelen aan meisjes met wie hij heeft zitten vozen. Wat een eikel."

„Geef terug!" Ik grijp het kaartje en stop het in mijn tas.

Liz staat stokstijf stil en kijkt me boos aan. „Fliss, je wilde toch wel gered worden, hè?"

„Jawel," zeg ik met dubbele tong. „Ja... bedankt."

„We moeten echt weg. Het is laat en er is een vechtpartij buiten."

„Een vechtpartij?"

„Een stel kerels. Er is iemand geslagen met een fles. De politie is geweest."

„Waar is Meg?"

„Ze is naar buiten gegaan om een taxi te bellen."

We lopen de koude nacht in en zien Meg veilig vlak bij de portier staan. Ze zwaait fanatiek naar ons. Aan haar voeten ligt een grote, rode plas olieachtig bloed. „We moeten dáár wachten, om de hoek. De taxichauffeur zegt dat hij niet hier wil voorrijden, omdat hij geen zin heeft in problemen."

„Er komen geen problemen meer vanavond, lady's," zegt de reusachtige portier zelfgenoegzaam. „We hebben alles onder controle."

„Ja, maar... de taxichauffeur maakt zich zorgen om de politie. Hij zegt dat we om de hoek moeten wachten."

„Oké dames, maar pas op, hè? Voor je erin springt, moet je

zeker weten dat 't de taxi is die jullie hadden besteld, oké?"

We gaan de hoek om en verzetten meteen geen voet meer. Er staat een groep meisjes. Zes of zeven ruige, gemene meisjes. Een paar stevig, een paar broodmager, allemaal met hun haar strak naar achter gebonden en met van die *baggy* kleren aan.

„Jemig," blaast Meg. „Dáár ga ik dus niet wachten."

Er is iets gaande. De groep meisjes staat in een kring. Ze duwen en stoten tegen elkaar aan. Terwijl ik naar hen staar, zie ik ineens dat ze niet elkáár aanstoten, maar een ander meisje, dat stijf in het midden van de kring staat. Ze heeft lang, loshangend haar en is heel anders gekleed dan zij. De hele groep staart naar haar en zij ziet eruit alsof ze zal flauwvallen van angst.

„Hé," snauwt het grootste meisje. „Het interesseert me geen reet waarom je hem nodig hebt. Wíj moeten hem gewoon hebben."

„Ja, moet je jezelf nou eens zien, verwaande trut. Met je mobieltje."

„Pak hem van d'r af, Tonya."

„Ja. Maar eerst je geld, anders zullen we je even te grazen nemen. Je kunt kiezen."

„Heb je soms meer tijd nodig om na te denken?" zegt het grote meisje spottend. „Oké. Tien... negen... acht..."

En alle meisjes doen mee aan het snelle aftellen en joelen en dreigen. Ze móéten het doen, ze zijn eraan gewend zo te doen. Idioot genoeg denk ik in een flits aan hoe Meg, Liz en ik aftellen voor we onze tequila drinken. Aftellen om het spannender te maken, specialer. Aftellen zodat we alle drie tegelijkertijd zullen drinken.

„Vijf... vier..."

„Jezus," zegt Meg. „Ik haal de portier!" En ze sprint de hoek om. Liz en ik verroeren ons niet. We kunnen niet anders, we staan aan de grond genageld.

„Twéé... één!" roepen ze. Daarna volgt een heel korte, zieke pauze... en dan vallen ze aan. Een van hen geeft het meisje met het lange haar een harde zet, zodat ze tegen een ander meisje aan wankelt. Die pakt haar haar beet en rukt eraan. Een derde doet een been omhoog, met laars, en schopt het meisje hard. Een vierde zwaait haar vuist en dan klapt het meisje met het lange haar dubbel als een kapotte pop en valt op de grond. Ze vallen op haar aan als honden, als jakhalzen.

En terwijl ik sta toe te kijken, begin ik te trillen, te trillen vanuit mijn buik naar mijn handen, naar mijn voeten. Ik tril van pure razernij. En dan kom ik in beweging. Beweeg naar voren, race naar voren terwijl ik gil: „Zij is alleen! Vuile trutten! Zij is alleen!" Ik knal keihard aan tegen het meisje dat het dichtst bij me staat en sla met mijn vuisten om me heen. Ik raak een gezicht, de zijkant van een hoofd...

„Jezus, wie is die gore slet?" Iemand ramt tegen me aan, maar ik val niet om. Ik sla nog steeds om me heen, maai als een dolle in het rond, zo razend dat niemand me kan tegenhouden. Ik krijg een trap tegen mijn been. Ik krijg een stomp tegen mijn achterhoofd. Ik hoor hoe Liz mijn naam gilt, ik zie dat ze op me af rent. Dan slaat iemand me in mijn maag en ik val voorover, op handen en voeten en dan ben ik het kwijt en wordt alles zwart.

20

Ik kom bij. Knipperende signaleringslichten als bij een file op de snelweg, flitsen door mijn halfgesloten oogleden. „Echt waar," hoor ik Liz snikkend zeggen. „Ze probeerde alleen maar te helpen!"

„Hoor eens, meisje, ze hebben allemaal gevochten. Ik kan niet de een wel en de ander niet meenemen, alleen maar omdat jij het zegt..."

„Maar u hoeft alleen maar naar haar te kijken! Dat stel... dat is een *gang*... ze sloegen dat meisje in elkaar en Fliss schoot haar te hulp..."

„Ik ken die meiden wel," zegt een zware stem, waarschijnlijk de portier. „Problemen. Niets dan problemen. Ik wilde ze de tent niet in hebben."

„Jammer dat u de boel hier niet in de gaten houdt, hè?"

„Ik kwam er net aan!" brult de portier. „Toen haar vriendin mij kwam halen, rende ik meteen hierheen en greep in! Stomme meiden," voegt hij er kwaad aan toe. „Ze zijn tegenwoordig nog erger dan jongens."

Ik hoor het kraken van een politieradio en robotachtige stemmen. „Ze moet naar een dokter," zegt iemand heel beslist. „Die andere nemen we mee ter observatie."

„Ze is in orde," roept Meg wanhopig. „Fliss. Fliss! Zeg dat

het goed met je gaat!"

Ik doe mijn ogen open. „Het gaat best met me," zucht ik. Ik sta op en schenk ze een brede glimlach. Geen denken aan dat ik meega naar het politiebureau, geen denken aan. „Het gaat wel goed. Ik... ze waren met z'n achten, het was een slachting, het was verschrikkelijk..."

„Je hebt heel dapper ingegrepen," zegt de politieman weifelend. „Ik bedoel... ook onverstandig, maar toen je eenmaal zag dat dat meisje alleen was..."

„Komt het goed met haar?"

„Ja. Een lelijke snee op haar gezicht die gehecht moet worden. Maar jij bent flauwgevallen, meisje. Ze moeten kijken of je geen hersenschudding hebt."

„Ik kreeg even geen lucht meer, dat is alles."

„Ze was maar een seconde of twee buiten westen," pleit Megan. „Ze was net gevallen toen u aankwam..."

De politieman legt zijn hand op mijn schouder. Hij zegt tegen me dat ik met mijn beide ogen naar zijn wijsvinger moet kijken die hij eerst tot vlak voor mijn gezicht brengt en dan weer terugtrekt. „Oké," zegt hij uiteindelijk. „Wegwezen dan maar. Dat is toch jullie taxi? Maar als je ook maar een beetje twijfelt, jongedame... bel dan je huisarts of het ziekenhuis. Afgesproken?"

We lopen snel naar de taxi, stappen in en gaan dicht tegen elkaar aan op de achterbank zitten. Het portier slaat dicht en dan zijn we veilig in de muffe, vochtige duisternis.

„Allemachtig, die juten zijn op zaterdagavond ook overal," moppert de taxichauffeur. „En ze denken allemaal dat ze in zo'n achterlijk snelle actiefilm spelen. Je kunt niet over straat of er schiet een politiewagen langs je met zwaailichten en zijn sirene aan. Gaat het goed daar achterin? Wil er iemand voorin zitten? Nee? Oké... waar gaat de reis heen?" Meg noemt mijn adres en de taxichauffeur gaat verder: „Om eerlijk te zijn, jullie boffen dat ik er nog was, dames. Ik wilde net wegrijden toen zij eraan kwamen. Een van die juten zei dat ik moest blijven en in mijn tak van dienst, als een smeris zegt dat je moet blijven, dan blijf je..."

Hij moppert maar door terwijl we langs de weg sjezen.

„Ik heb de politie onze namen en adressen gegeven," zegt Meg zachtjes. „Maar ze zeiden dat ze betwijfelden of dat meisje aangifte zou doen..."

„Te bang," zegt Liz bitter. Het blijft stil. We zijn allemaal nogal geschrokken, en misselijk, verdoofd. Dan fluistert Liz: „Weet je zeker dat het goed met je gaat, Fliss?"

„Ja. Best. Ik ben nu hartstikke nuchter."

„Misschien had je je toch even moeten laten nakijken... maar... als je mee was genomen naar het politiebureau..."

„...zouden jouw en mijn ouders zich gek geschrokken zijn en dan hadden we nooit meer uit gemogen. Ik voel me goed, echt waar. Eigenlijk doen alleen mijn knokkels pijn."

„Nou, je nam ze wel te pakken, hè?" Ze pakt mijn rechterhand en onderzoekt hem plechtig in het zwakke licht van de straatverlichting en de voorbijrijdende auto's. Ik bekijk hem ook; hij is dik en rood en begint flink pijn te doen. „Verdomme, Fliss," zegt Liz zachtjes. „Dat is niet best. Kun je je vingers nog bewegen?"

Ik wiebel met mijn vingers en vertrek mijn gezicht van de pijn.

„Het is niet gebroken. Allemachtig. Tuig!" Het blijft even stil, dan zegt Liz: „Weet je, ik wilde je komen helpen. Net toen je onderuitging. Maar toen greep de portier al in..."

„Nou, ik denk dat die meiden de portier ook wel aan hadden gekund met z'n allen, dus het is maar goed dat die agenten in de buurt waren."

„Ja," lacht ze vol berouw. „Dat is het grote voordeel als je uitgaat in een slechte buurt. Hé, ik had je eerder moeten helpen. Het is gewoon... Ik kon me niet bewegen. Ik kon gewoon niet geloven wat ik zag. Ik kon niet geloven wat je deed."

Ik lach en trek mijn hand terug. „Ik ook niet."

Het is doodstil als ik het huis binnen kom. Mijn moeder wacht meestal op me, of ze wordt wakker als ze mijn sleutel in het slot hoort en roept dan slaapdronken: „Fliss, alles goed?" Maar deze keer hoor ik niks. Ik loop zachtjes de trap op, naar de deur van haar slaapkamer. Die duw ik open en kijk om het hoekje. De kamer is pikkedonker, omdat de straatlantaarn voor het huis kapot is. Ik kan haar omtrekken onder het dekbed maar vaag onderscheiden. Een ineengedoken, eenzame gedaante. Ze ademt heel, heel langzaam, slaapt heel diep. Ik krijg een brok in mijn keel... ik wil haar wakker maken en bij haar in bed kruipen net zoals toen ik nog klein was, en haar vertellen over de vechtpartij, haar vertellen over Simon, haar vertellen over alles.

„Mam," fluister ik. „Mam?"

Ze verroert zich niet. Er staat een leeg wijnglas naast haar bed en ik ruik een scherpe, zure wijnlucht in de kamer. Ze drinkt veel de laatste tijd, en ik kan het haar niet eens echt kwalijk nemen.

Ik wilde maar dat ze even wakker werd voor mij.

Ik ga de kamer uit en doe de deur dicht. Ik voel me hyper, alsof er een zwerm moordzuchtige bijen in mijn hoofd rond zoemt. Dat is vast de adrenaline of zoiets, door de vechtpartij. De alcohol die ik heb gedronken is naar de buitenste delen van mijn brein verdwenen en voor de rest ben ik heel helder. Ik heb absoluut geen zin om te slapen.

Ik loop naar de grote spiegel aan de muur naast mijn bed en kijk naar mijn gezicht. De schade valt wel mee. Mijn bovenlip is een tikje gezwollen, dat is alles en er zit een schram op mijn voorhoofd, maar daar valt mijn haar overheen. Voorzichtig voel ik aan mijn achterhoofd en betast met mijn vingers de omtrekken van een grote bult die daar komt opzetten. Dat is mijn ergste verwonding, denk ik. Dat, en wat ik met mijn handen heb gedaan. Ik kijk omlaag en voel weer hoe mijn vuist de zijkant van de stomme kop van dat grote meisje raakte. Ik kan er niks aan doen, maar ik moet erom glimlachen. Ik voelde me zo lekker toen ik dat deed. Alsof ik niet meer hoefde te denken, alleen nog maar hoefde te doen. Alsof alle angst een uitweg vond, eruit schoot, en mij schoon en heel achterliet.

Jemig, wat zou dat betekenen? Word ik net als zij, net als die meisjes van die *gang*? Een psychopate die alleen maar rust vindt door iemand tot moes te slaan? Misschien was dat het enige waar die meisjes op uit waren. Misschien moeten ze wel doen wat ze doen om niet gek te worden.

Ik ga dichter bij de spiegel staan, bekijk mijn opzwellende

mond en moet ineens aan Clary Andover denken. Ze zat een klas lager dan wij en is vorig jaar van school gegaan. Er was een groot schandaal rond haar omdat ze altijd op school kwam met snijwonden in haar armen. Aan een paar vrienden had ze verteld dat haar oudere broer die maakte, om haar te dwingen hem geld te geven en omdat hij ervan genoot, want hij was een sadist. Haar mentor raakte erbij betrokken. Hij wilde de politie inschakelen om de broer aan te houden en zo. Net op tijd stortte Clary in en bekende ze dat zijzelf al die tijd in haar armen had gesneden en niet haar broer. En ik weet nog dat er een sfeer van opluchting én anticlimax in de lucht had gehangen, alsof het oké was dat ze het zelf had gedaan. Alsof dat het minder erg maakte. Ze moest van school af, ze moest zich onder behandeling laten stellen.

Ik hou mijn handen omhoog voor de spiegel en bekijk ze in spiegelbeeld. Ze lijken niet erg meer op mijn handen... ze zijn opgezwollen en de knokkels zijn geschaafd en bloederig. Wat was het nut van dat meppen? Dat ik dat meisje pijn deed of dat ik mezelf pijn deed? Ik had van alles kunnen slaan. Ik had tegen een stenen muur kunnen slaan.

Ik denk weer aan Clary Andover en plotseling weet ik heel zeker dat het veel enger is dat zij het zelf was, en niet haar broer, die in haar armen sneed.

21

Het is zondag, bijna middag. Ik kom uit de badkamer, nog klam van de douche, en mijn moeder is nog niet op. Ze roept me vanuit haar kamer met een zwak stemmetje.

„Ja?" Ik kijk haar kamer in. „Wil je een kopje thee?"

„O ja. Ja, graag."

„Wat is er aan de hand? Ben je doorgezakt of zoiets?"

Vanaf haar bed kijkt mijn moeder me smekend aan. Ze heeft grote vegen mascara onder haar ogen, omdat ze het er gisteravond niet af heeft gehaald. Daardoor ziet ze er verwilderd uit. „Ik heb me laten gaan," zucht ze. „Ik had de meiden naar bed gebracht en toen maakte ik een fles wijn open en dronk hem leeg. Toen maakte ik er nog een open. En toen nog een. Ik vergat te eten. Ik voel me verschrikkelijk."

Ik zeg niets. Ik heb ook een kater, maar die valt mee, die is te hanteren, die past wel bij hoe ik me verder voel.

„Zijn de meisjes al op?" vraagt mijn moeder.

„Ja. Ze zitten voor de tv."

„O... ik haat het als ze de hele ochtend tv kijken..."

„Mam, dat lijkt me nu niet het ergste, denk je ook niet? Niet nu je..." Ik gebaar in haar richting, naar het bed.

„Nee, oké. O Fliss, het spijt me, maar ik kan me niet bewegen. Ik voel me verschrikkelijk. Ik heb gisteren geprobeerd over te geven, maar het lukte niet, dat heb ik nooit gekund..."

Ik doe mijn ogen dicht. Ik wil het niet horen.

„Kun jij voor me inspringen, schat? Als ik nog een paar uurtjes kan slapen, weet ik zeker dat ik me beter voel. Ik zal... buh... o, hemel, het lijkt wel alsof ik een alcoholvergiftiging heb of zoiets..."

„Ga maar slapen, ik breng je straks wel thee."

„Ze zullen wel cornflakes hebben gepakt," zegt ze. „Als jij wat boterhammen voor ze maakt en misschien met ze naar het park gaat of zoiets... een beetje frisse lucht..."

„Oké," stamel ik.

„Het kwam doordat ik hém heb gezien," barst ze plotseling los. „Zo helemaal tevreden met zichzelf, toen ze naar de kinderboerderij waren geweest. De ideale vader, met zijn dochters kleverig van de taart en de limonade, moe en blij, met tasjes van de souvenirwinkel en potloden met een schaapje erop. Hij had ze gelukkig gemaakt en het enige wat hij daarvoor had hoeven doen, was een paar van die achterlijke potloden..." De tranen rollen over haar wangen en mengen zich met de mascarastrepen. Ik staar haar vol afgrijzen aan. Dit is mijn moeder niet. Misschien heeft ze inderdaad een alcoholvergiftiging.

„Ik had zin om hem te vermoorden," tiert ze verder. „Heel tevreden met zichzelf en innig verbonden met zijn kleine meisjes en dan stapt hij weer in zijn auto, in onze auto, onze gezinsauto en gaat terug naar zijn minnares..."

Ik kan het niet meer aanhoren. „Mam, ga maar slapen," fluister ik en ik loop de kamer uit.

De uren daarna ben ik plichtmatig bezig met Phoebe en Alexa. Ik vertel ze dat mama pijn in haar buik heeft en dat ze de tv uit moeten zetten en dat we naar het park gaan. Phoebe is redelijk opgewekt, vindt het waarschijnlijk fijn dat ik voor de verandering een keertje aardig tegen ze ben. Maar Alexa trapt er niet in. Ze heeft voortdurend een opgejaagde, gekwelde blik in haar ogen. Alsof ze van alles wil weten, maar er niet naar durft te vragen. En ze heeft haar nagels zo ver afgebeten dat de randjes bloeden.

Ze hebben er niets van gezegd dat mijn mond gezwollen en gehavend is. Ik denk dat het past bij de manier waarop we er allemaal uitzien. Gezwollen ogen, wat opgeblazen en gehavend.

Ik denk niet meer aan de vechtpartij. Het is net alsof hij ver achter me ligt. Terwijl ik naar het geschommel van mijn zusjes kijk, moet ik aldoor denken aan dat woord dat mijn moeder gebruikte. Minnares. Het is idioot. Iemand die zo stijf en grijs is als mijn vader kan geen minnares hebben. Minnaressen dragen zijde en doen verleidelijk parfum op en hoeven niet hard te werken en leven voor de liefde... zo'n soort vrouw zou nooit iets met mijn vader willen. Echt niet.

Als ik aan haar denk, aan die minnares, is alle spanning er meteen weer, alle druk, en zo erg dat ik ervan kokhals. Ik doe mijn best om normaal te doen en probeer te kletsen met mijn zusjes, maar ik voel me geïsoleerd. Alsof we in een film spelen en ik niet kan acteren. Ik ben nep.

Mijn moeder is nog steeds niet beneden als we thuiskomen. Ik maak een hoop kabaal, haal brood uit de broodtrommel en vraag de meisjes of ze kaas of tonijn op hun brood willen. Alexa wil naar boven om mam te bezoeken, maar ik zeg: „Laat mij haar maar een kop thee brengen, dan kijk ik eerst of ze wakker is." Ik ben er niet zeker van of mijn moeder Alexa voor de gek kan houden.

Ik sjok naar boven met de thee. Ze is wakker en ligt op haar zij, steunend op een elleboog. Ze ziet er iets beter uit, en heeft de gordijnen een stukje open gedaan. „Dank je, lieverd," zegt ze zachtjes als ze de thee met trillende handen van me aanneemt. „Het spijt me zo, Fliss. Ik schaam me zo."

„Waarom zou je? Híj zou zich moeten schamen."

„Misschien. Maar ik moet volhouden. Ik moet er zijn om voor jullie te zorgen."

„Dat zal je best lukken," zeg ik. „Mam?"

„Ja, schat?"

„Ik ga vanavond uit."

„Op zondag?"

„Ja. Ik... ik heb het nodig. Een paar uurtjes maar."

Mijn moeder zucht een keer en zet dan haar thee op het nachtkastje. „Oké," mompelt ze.

Zodra ik beneden ben, pak ik mijn tas en loop naar de voorkamer, waar ik ongestoord kan bellen. Ik duikel het visitekaartje op dat die jongen me gisteravond gaf. 'Dale' staat erop. Voor ik kan nadenken, heb ik zijn nummer al ingetoetst.

De telefoon gaat vier keer over. Een vrouw neemt op. Ik zet een afgemeten, zakelijke stem op en vraag of ik Dale kan spreken. Ze roept hem en al snel zegt hij in de hoorn: „Ja?"

„Hai. Ik ben het, van gisteravond. Dat meisje in dat blauwe

topje... je trakteerde me op een tequila sunrise."

Het blijft even stil, maar voor de pauze zo lang is dat het echt beledigend wordt, zegt hij: „O ja! Ik weet het weer. Ik heb je mijn nummer gegeven, toch?"

Kennelijk wel, denk ik. „Ja. Meende je het trouwens? Dat ik je op kon bellen als ik zin had om iets met je te drinken?"

„Tuurlijk. Dat zou geweldig zijn. Hé, ik weet alweer wie je bent. Dat meisje met de boze vriendin. Die je ineens mee naar huis sleepte."

„Ja. Daar baalde ik echt van."

„O ja? Je had wel zin om te blijven, hè?"

„Ik had het behoorlijk naar mijn zin," zeg ik op een zwoel toontje waarvan ik bijna moet overgeven als ik het mijn mond uit hoor komen. Maar het heeft het gewenste effect.

„Ik ook, schat. Nou... wanneer wil je afspreken dan?"

Ik adem diep in en antwoord: „Vanavond."

„Vanavond? Het is zondag! Ik moet maandag werken."

„Nou, ik moet naar... college." Waarom zou ik 'school' zeggen? Waarom zou ik hem vertellen hoe jong ik ben?

„Ja, maar..." Hij aarzelt. „Jij hoeft vast niet om half zeven op."

„O, oké. Laat dan maar. Alleen... Ik moet er even uit, iemand zien, snap je? Het is allemaal zo raar... ik heb gisteravond gevochten en..."

„Gevochten? Met wie?"

„Met een stel vreselijke wijven. Met een *gang*."

„Jemig. Alles goed met je?"

„Ja, alles is goed. Alleen... ik wil uit vanavond, dat is alles."

Ik heb niet veel gezegd, maar het is genoeg. Want wat ik eigenlijk heb gezegd, is dat ik wanhopig ben, gretig, en dat is genoeg voor hem. Hij hapt.

„O, oké, waarom niet?" zegt hij. „Hartstikke leuk om je te zien. We kunnen best een beetje vroeg afspreken, toch? Iets drinken, beetje kletsen. Zal ik je komen ophalen? Ik heb een motor."

„Een echte motor?"

„Ja. Wat dacht jij dan, schatje?"

Ik krijg er nog net een grinnikje uit en zeg dan: „Mijn moeder zou een beroerte krijgen als er hier een motor kwam voorrijden. Hé... wat vind je van de *The Cat and Fiddle*? In de buurt van *The Ridgeway*... je weet wel, die grote, nieuwe wijk? Dat is bij mij in de buurt. Zullen we daar afspreken?"

„Tuurlijk. Dat ken ik wel. Om acht uur. Oké?"

„Ik zal er zijn," zeg ik en ik leg de telefoon neer.

En dan begint het wachten. Ik ben voortdurend bang en zenuwachtig omdat ik een afspraak heb met Dale, een vreemde. Nog zes, nog vier en dan nog maar twee uur... ik denk niet na over de risico's die ik neem. Ik denk er niet aan dat hij ouder is, en groter en sterker en dat ik hem helemaal niet ken en hij behoorlijk ver ging in de club. Nou, ik denk er wel aan, maar het kan me niet schelen. Als ik me opmaak, moet ik weer aan Clary Andover denken. Ik denk dat deze afspraak mijn versie is van in je arm snijden. De spanning en de angst die ik nu voel, doen alle andere ellende naar de achtergrond verdwijnen. Dale is als een mes dat in me snijdt waardoor ik niet meer voel wat ik voel.

22

Om half acht ga ik van huis, want het is een aardig eindje lopen naar de pub. Ik heb een massa make-up opgedaan, zodat Dale me zeker zal herkennen van de vorige avond. Hij zal wel moeten, want ik vraag me sterk af of ik hém zal herkennen. Ik probeer me hem voortdurend voor de geest te halen, maar het lukt niet.

Om vijf over acht sluip ik de parkeerplaats van de pub op. Er staan twee motoren vlak bij elkaar. Een ervan is vast van hem.

Ik haat het om alleen een pub in te gaan, maar ik doe het toch. Het is oké dat mijn hart zo bonst, ik zou niet willen dat het anders was. Ik loop langzaam naar de bar, bekijk iedereen goed en zoek naar jongens die alleen zijn. Niet die met die bruine haren daar met dat crèmekleurige jack. Nee, Dale was langer, een beetje ruig. Net als die daar, maar die is met vrienden.

Ik loop naar de andere kant van de pub. Mijn benen zijn helemaal stijf van schaamte; ik beweeg als een robot. Verder doorlopen kan niet, ik ben in de verste uithoek, helemaal bij de wc's. Dan zwaait de deur van de heren-wc open – er komt een hard uitziende jongen uit die meteen stil blijft staan. Hij houdt zijn hoofd scheef, fronst zijn wenkbrauwen en glimlacht tegelijkertijd naar me. Hij doet zijn hand omhoog en wijst naar me. „Ben jij...?"

„Dale?" piep ik.

„Ja. Ja. Hoi." En dan staat hij al naast me, met een arm om me heen en hij drukt me tegen zich aan, met een air van: o-wauw-wat-is-dit-heerlijk. „Je gelooft het niet, maar ik ben je naam vergeten. Wat een zak, hè?"

We waren helemaal niet toegekomen aan namen uitwisselen, denk ik. „Fliss," zeg ik.

„Fliss. Leuke naam. Dat is de afkorting van...?"

„Felicity."

„Sjiek, hoor."

„Niet echt."

„Wil je iets drinken? Tequila, hè?" Hij glimlacht naar me, alsof hij extra bonuspunten heeft verdiend doordat hij nog weet wat ik drink.

„Gewoon een biertje, graag."

Hij stapt met grote passen naar de bar, nog steeds met zijn arm om me heen en roept vol zelfvertrouwen de barman. Met zijn vrije hand trekt hij een rolletje bankbiljetten uit de achterzak van zijn jeans. Het moet maf zijn om zoveel zelfvertrouwen te hebben dat de barman meer onder de indruk is van jou dan jij van hem. Hij neemt zo'n trendy flesje bier voor mij, zonder glas, en een groot glas bier voor zichzelf. Hij leidt me naar een tafeltje in de hoek. Al snel zitten we naast elkaar en nog steeds heeft hij zijn arm geen seconde van mijn schouder gehaald.

„Nou, ik ben blij dat je me hebt gebeld, Felicity," zegt hij. „Proost." Hij klinkt met zijn glas tegen mijn flesje waardoor er bier op mijn hand terecht komt, maar hij merkt het niet eens. „Ik ben niet zo dol op deze pub, eerlijk gezegd," gaat hij verder. „Te veel *losers*." Hij neemt een grote slok.

Mijn hart bonkt.

Hij zet zijn glas met een klap neer.

Ik kijk schuin naar zijn mond en bedenk hoe die zich gisteravond op de mijne schroefde. Ik weet niet goed of ik opgewonden word bij die gedachte of het idee juist haat. Ik kom tot de conclusie dat het er niet toe doet.

Ik kan daar niet gewoon als een idioot blijven zitten, toch. Ik moet met hem praten. „Wat doe je?" vraag ik slap.

„Wat ik doe? Bedoel je mijn werk?"

„Ja."

„O, nee hè, laten we het daar nou niet over hebben." Hij trekt me naar zich toe. „Het is toch weekend?"

„Klopt."

„En we hebben recht op een beetje lol voor de sleur weer begint, toch?"

Ik lach ongemakkelijk. Ik kan mijn ogen niet van zijn mond af houden. Hij heeft zich niet helemaal goed geschoren en onder zijn onderlip zitten allemaal stoppels. Ik pak mijn flesje bier en op het moment dat ik een slok wil nemen, pakt hij mijn hand. „Je hebt echt gevochten." Hij klinkt half vol afschuw, half opgewonden. „Een beetje een wilde, hè?"

Ik haal mijn schouders op. „Ik maak er geen gewoonte van."

„Blij om te horen, Fliss."

„Ach… je weet wel. Het is allemaal zo maf."

„Wat allemaal?"

„O, 'k weet niet. Mijn vader en moeder... ze gaan scheiden en..."

„O. Dát. Da's shit. Ja. Mijn ouwe is weggelopen. Zes, nee, zeven jaar geleden."

„Heb je... vond je het erg?"

„Nah. Ik was blij dat-ie opdonderde."

Het is stil en Dale neemt nog een slok van zijn bier. Dit gesprek lijkt ten einde en ik kan zo gauw geen ander onderwerp bedenken.

„Zo, wat wil je doen?" wil hij weten. „Naar een club?"

Plotseling heb ik het akelige visioen dat hij me weer tegen een muurtje in een donker hoekje duwt. Trouwens, hier had ik al iets op bedacht. Ik weet waar ik hem mee naartoe zal vragen.

„Nou... ik had min of meer beloofd bij een vriendin langs te gaan," mompel ik.

„O ja?" vraagt hij ongeïnteresseerd.

„Ja. Haar ouders zijn niet thuis. Ze geeft een soort feestje... een klein feest."

„Klinkt goed. Oké, zeg maar. Waar is het?"

Dan adem ik diep in en zeg: „Magpie Place. Weet je die... die nieuwe flats? Aan Bridge Street."

„Die ken ik," zegt hij. Hij gooit het laatste restje bier naar binnen en staat op.

23

Even later staan we op de parkeerplaats en lopen we naar de motor die het meest glimt. Hij heeft een extra helm bij zich en als hij die onder mijn kin vastsnoert, buigt hij zich zo dicht naar me toe, dat zijn bierlucht me in het gezicht slaat. Hij kijkt me aan, neemt me helemaal in zich op, opzettelijk en banaal en sexy, en even ben ik bang dat hij zijn mond op de mijne zal drukken, maar dat doet hij niet.

„Oké, Felicity," zegt hij. „Let's go." Hij zwaait zijn been over de motor en gaat erop zitten, in macho-style, net zoals op oude filmposters.

Alles wat hij zegt, gaat op dat plagerige, uitdagende 'ik-ken-jou-wel'-toontje. Het is net alsof hij met me speelt, als een kat met een muis, en dat is opwindend en misselijkmakend tegelijk.

„Kom op, Felicity."

Ik leg mijn handen op zijn schouders en ga achter hem zitten. Ik heb maar één keer achter op een motor gezeten en dat was veilig, bij een vriend van mijn oom. Maar ik weet wat ik moet doen.

Hij trapt de motor aan. „Magpie Place, Bridge Street, hè?" roept hij over zijn schouder.

„Klopt," zeg ik. Dat klopt, het nieuwe adres van mijn vader.

Dale zet het gas open en we scheuren de weg op. De motor trilt en schokt onder me. De lucht schiet langs me heen, voelt donker en ijzig tegen mijn gezicht. Ik gedraag me als een krankzinnige, ik weet het. Ik vertrouw mijn leven toe aan iemand die ik pas een avond ken. We zouden een ongeluk kunnen krijgen en doodgaan. Of misschien ontvoert hij me, bindt me vast, en verkracht en vermoordt me. Maar het interesseert me niet. Ik voel alleen maar de snelheid en de wind die langsraast. Dat en de angst. Waar ik bijna in verzuip. Het maakt me niet uit waar hij me mee naartoe neemt… naar Bridge Street of naar de voorwielen van een vrachtwagen of naar een bos… het is allemaal één grote ramp, het is het mes dat mijn ellende eruit snijdt.

Nu rijden we op een verlaten weg, met skeletten van bomen die het lichtschijnsel van de straatverlichting breken. Dale remt, vloekt, maakt een U-bocht, remt dan weer en staat stil.

„Daar is het, geloof ik," roept hij en wijst naar een paar grote, open hekken. „Ik zie het straatnaambordje bijna niet, het is te donker." Hij loopt met de motor naar de hekken, stopt en zet de motor uit. Dan doet hij zijn helm af en draait zich naar mij. „En?" wil hij weten. „Welk nummer is het?"

Schaduwen van takken die voor de straatverlichting heen en weer zwaaien, bewegen over zijn gezicht, en maken hem lelijk, alsof zijn gezicht vol littekens zit. Hij fronst zijn wenkbrauwen… zijn goede humeur is verdwenen. Misschien is hij onderweg al gaan twijfelen. Misschien vindt hij mij niet echt de moeite waard.

„Ik weet het niet precies," zeg ik. „Mijn vriendin zei dat

we op de muziek af moesten gaan."

„Nou, ik hoor geen muziek," zegt hij ongeduldig. „Niet echt swingend dus, hè?"

„Het was maar een klein feestje."

„Moesten we niet iets te drinken meenemen of zoiets?"

„Nee hoor, dat was niet nodig," antwoord ik en ik trek de helm van mijn hoofd en geef hem aan hem. Daarna loop ik naar het verlichte portiek van de flats, omdat ik niet weet wat ik anders moet doen. Ik tuur door de dikke, glazen deur. Binnen staat een namaakboompje in een blauwe kuip en links is een lift.

Dale komt achter me staan, te dichtbij. „Is-ie open?" blaft hij.

Ik trek aan de deur en weet dat hij op slot zal zijn en dat klopt. Op de muur naast me hangt een hele rij verlichte bellen met naambordjes erbij.

„Kun je haar naam niet vinden?" kreunt hij.

Ik lees de namen een voor een. Een ervan is de hare. De naam van mijn vaders minnares. Mijn ogen boren zich in de bordjes in een poging haar te vinden.

„Kom op, welke is het nou?" snauwt Dale ongeduldig.

Ik draai mijn gezicht naar hem en bijt op mijn onderlip op zo'n oeps-wat-ben-ik-een-suffie-manier waarvan ik maar hoop dat hij het schattig vindt. „Ik weet het niet meer," zeg ik onnozel. „Ik weet haar achternaam helemaal niet meer. Eigenlijk is ze maar een vriendin van een vriendin, van Liz. Liz zou hier tegen tienen zijn. Hoe laat is het?"

Hij kijkt op zijn horloge. „Kwart over negen," zegt hij zuur.

„Misschien komt ze wat vroeger. Of komt er zo iemand

anders… iemand die ook naar het feest gaat."

„Waarom begin je niet gewoon bovenaan en probeer je alle bellen?"

„Wat? En dan zeker vragen: geeft u een feest?"

„Ja, waarom niet?"

„O, dat kan niet," piep ik. „Echt, dat kan ik niet. Trouwens, ze mag… ze mocht geen feest geven. En als ik bij iedereen aanbel, komen de buren het te weten. En die vertellen het dan weer aan haar ouders."

Dale kijkt me geïrriteerd aan en zucht diep. „Hoor eens, Felicity. Dit gebeurt niet echt, hè? Wat moeten we nou doen tot je vriendin komt opdagen?"

Ik weet zeker dat hij zal voorstellen om weg te gaan. Naar een pub of een club. Maar ik moet hier blijven, bij mijn vaders nieuwe huis. Ik kan niet anders.

Ik ga dichter bij hem staan en steek mijn armen onder het dikke, zwarte leer van zijn jack en sla ze om zijn middel. Mijn gezicht is nu zo dicht bij dat van hem, dat we elkaars adem inademen. Het voelt ziek, het voelt verkeerd, maar toch doe ik het. „O, kom op, Dale," zeg ik zachtjes. „Laten we gewoon even wachten. Het is toch niet zo heel koud hier, op dit plekkie. Toch?" Ik hef mijn hoofd naar hem op en mijn mond is nog maar tien centimeter verwijderd van zijn mond.

Hij lacht spottend, dan buigt hij zijn gezicht naar het mijne en ik weet dat ik hem heb waar ik wil.

Ik doe echt mijn best. Ik duw mijn mond tegen de zijne en ga met mijn tong in het rond alsof het een worm is aan een haak. Hij laat zijn handen over mijn rug glijden, duwt ze onder mijn jack en pakt me bij mijn rug. Ik wurm heen en weer omdat ik het haat, en omdat ik me moet beheersen hem niet weg te duwen.

„Hé... kalm aan," zegt hij zachtjes. „Waarom doe je zo druk?"

Hiervoor is mijn vader dus weggegaan. Voor seks. Dat is alles wat hij nodig had. Ik haak mijn arm rond de nek van Dale, trek hem tegen me aan en begin aan zijn oor te knabbelen. En ik vind het zo afschuwelijk dat ik mezelf moet dwingen om door te gaan, mezelf moet dwingen om mijn tong recht in zijn oor te steken. Ik moet bijna kokhalzen van die scherpe, brandende, vreemde smaak.

Dan daal ik af naar zijn hals.

„Jij hebt haast, hè?" zegt hij en hij duwt me een stukje van zich af. „Oppassen hoor, ik wil geen zuigzoen." Hij tilt zijn handen op en knoopt de drie grote knopen van mijn jack achteloos los. „De jongens op mijn werk zouden er niet meer over ophouden."

Hij doet mijn trui omhoog en knijpt in mijn borsten door mijn bh heen. Mijn ademhaling gaat nu zo snel dat ik bang ben dat ik zal stikken. Ik wil niets liever dan hem van me af duwen, hem een zet geven en wegrennen. Maar ik doe het niet.

Plotseling voel ik een dolksteek van verlangen naar Simon. Hoe voorzichtig hij altijd was, hoe hij nooit iets deed als hij niet heel zeker wist dat ik het ook wilde. Zo voorzichtig dat ik soms had willen schreeuwen omdat ik gewoon door had willen gaan, meegesleept wilde worden. Wat we ook deden, Simon en ik hielden nooit op te zijn wie we waren, de mensen die we waren.

Ik voel me nu geen mens meer. Dale brengt zijn gezicht weer omlaag naar het mijne. Hij begint weer te knabbelen, en onophoudelijk bewegen zijn handen ruw over mijn lichaam.

Zo, dit is het dus? Dit is dus waarvoor mijn vader is weggegaan.

Plotseling komt er een auto aanrijden door de grote, open hekken. Het schijnsel van de koplampen glijdt over ons heen en zet ons even in de schijnwerper.

„Shit," gromt Dale. Hij laat mijn trui weer terugglijden. „Misschien is het je vriendin."

Even later lopen twee oudere mensen de oprit op, in onze richting. Ze zijn klein en compact in hun winterjassen. Ik duw mijn gezicht in de leren jas van Dale om ze niet te hoeven zien. Ze zeggen niets, openen alleen de glazen deur die met een bonkend, zoemend geluid openschuift. Maar ik voel hun afkeuring en ik voel hoe Dale ze boven mijn hoofd agressief aanstaart. Dan valt de deur zwaar achter ze in het slot.

„Ik wou dat je vriendin eens opschoot," moppert Dale. „Ik krijg het verdomd koud." Hij schuift een hand op mijn rug onder mijn trui en maakt mijn bh efficiënt los. „Je bent lekker, hoor," zegt hij zachtjes in mijn haar. „Er is vast wel een lege kamer op dat partijtje, hè?"

Het voelt alsof mijn vlees krioelt onder zijn handen. Ik zie voor me hoe ik hem een knietje geef, hem hard tegen de muur duw en zijn hoofd kapot trap als hij op de grond is gegleden. Zijn handen bewegen omlaag nu, naar de knoop van mijn jeans, alsof er geen plekje aan mijn lichaam goed genoeg is om zijn aandacht langer dan een minuut vast te houden.

„Hé," kir ik en ik probeer zacht en plagend te praten als ik zijn hand pak met alle kracht die ik op kan brengen: „Waar ben je mee bezig? Me uit te kleden?"

„O, kom op, Felicity."

„Neehee! Niet hier!" Ik maak me los uit zijn armen en zeg wanhopig: „Er is vast wel een plekje binnen. Ik weet het zeker."

„Ja, nou, daar ben ik niet zo van overtuigd. Ik ben er niet van overtuigd dat we ooit op dat feestje komen. Als het al bestaat, tenminste."

En hij valt weer aan. Het is net een marteling. Ik kronkel van afschuw en hij denkt dat het is omdat ik opgewonden ben, want op de een of andere manier lukt het me te doen alsof dat zo is. Ik doe zelfs mijn best om opgewonden te worden. Ik weet niet wat er gebeurt. Ik weet alleen maar dat ik hem hier moet houden. Nog eventjes.

Hij stort zich weer op mijn gulp en dit keer lukt het hem. Ik grijp zijn hand met allebei mijn handen en dan, overal doorheen, hoor ik de stem waar ik op wachtte. Waarvoor ik kwam.

„Felicity? Felicity? Wat doe jij hier, verdomme?"

24

Dales handen vallen van me af alsof ik plotseling onder stroom sta. Ik draai me om en dan sta ik tegenover mijn vader, met al mijn kleren wijdopen.

„Hoe wist je dat ik hier was?" vraag ik kattig.

„Hoe ik wist...? Wat doet dat er in vredesnaam toe? Wat dóé je hier in godsnaam?"

„Ik wilde je nieuwe huis gewoon even zien, pa."

„Maar hoe... wat..."

„Pa?" vraagt Dale. „*What the hell* is hier aan de hand?"

Mijn vader keert zich woedend tot hem. „Wie ben jij?"

„Dale," snauw ik. „Ik heb hem gisteren leren kennen."

Mijn vader ademt diep in. Hij ziet er verslagen uit, hij ziet eruit alsof ik hem net een klap in zijn gezicht heb gegeven, en daar ben ik blij om.

„Hoe wist je dat ik hier was?" vraag ik weer.

„Ik gooide wat afval door de stortkoker," zegt hij op bittere toon. „Ik hoorde de mensen van de flat onder me mopperen over een paartje dat ze in het portiek hadden zien staan. Ze zeiden tegen elkaar hoe jong het meisje was en dat ouders tegenwoordig niets in te brengen hebben." Hij slaakt een boze, bibberige zucht. „Verdorie, Fliss, doe je kleren goed."

Dan heeft Dale zijn stem terug. „Ik ben weg," snauwt hij.

„Leuk spelletje, Felicity. Heel leuk. Als je nog eens iemand wilt gebruiken, bel mij dan maar niet, oké?"

„Donder op, jij," zegt mijn vader.

„Ik ben al weg! Leuk dochtertje heb je! Een verknipte, kleine psychopaat. Gefeliciteerd." Hij beent naar het hek waar zijn motor staat.

Mijn vader kijkt mij woedend aan. „Zeg Felicity, ik weet niet wat je van plan was met dat tuig... hoe wist je trouwens waar ik zat?"

„Hoezo? Is dat een geheim dan?"

„Nee... maar het is..."

„Je wilt je gezin niet op bezoek hebben, hè?"

„Zeg... ik breng je even thuis met de auto. Ik zal..."

„Nee! Ik wil naar binnen! Ik wil zien waar je nu woont! Wat is er aan de hand, pap... wil je niet dat je eigen dochter in je nieuwe huis komt?"

Mijn vader kijkt me woedend aan. Zijn mond gaat open en dicht. Ik kijk woedend terug, met gebalde vuisten en bonkend hart. Dan hoor ik het gebrul van Dales motor die de avond in scheurt. En achter de schouder van mijn vader verschijnt iemand die ik nog niet kende. Er is niets bijzonders aan haar... bruin, halflang haar, nogal lang. Jonger dan hij. Natúúrlijk. Net zoals mijn moeder beschreef.

„Martin?" zegt ze. Ze heeft een mal, zacht, kleine-meisjesstemmetje. „Is alles goed? Ik hoorde geschreeuw en..."

„Alles is goed," blaft mijn vader. „Hoor eens... ga maar naar binnen, schat. Ik ben zo terug."

Als ik hem haar zo hoor noemen, haar 'schat' hoor noemen, ben ik bang dat ik ga gillen.

Ze kijkt naar me. „O, gos, Martin, is dat..."

„Anita, ga alsjeblieft naar binnen, wil je?"

Als ik haar naam hoor, ontploft er iets in me, fel en helder, als vuurwerk. Ik doe mijn mond wijdopen en schater. „A...ni...ta!" gil ik. „Wauw, zo heet je dus? Dat is geweldig... lijkt een beetje op Alexa, vind je niet, pa, net als je dóchter. Alleen zit er 'niet' in, maar ze is het wél, hè, en ik weet zeker dat haar flat het ook wél is, dat het veel fijner is dan ons huis waar je het zo vreselijk vond..."

„Felicity, stop!" kreunt mijn vader.

„Waarmee? Stel je me niet voor, pap? Aan je minnares?"

Anita kijkt me aan alsof ze ieder moment kan flauwvallen. Ze doet haar mond open en er komt eerst niets uit. Dan piept ze: „Maar hoe... hoe weet ze...?"

„...waar mijn vader naartoe is gevlucht? Het zou een groot geheim moeten zijn, hè pap? Nou, iemand heeft het aan mama verteld. Iemand bij jou op kantoor, iemand die jou een enorme zak vindt. En daarna is ze je hierheen gevolgd en heeft ze jullie gezien. Ze heeft me alles verteld, alles over A-ni-ta. Alleen was zij eigenlijk... de dingen die zij zei, waren best vleiend." Ik kijk haar woedend aan. „Moet je jou eens zien," spuug ik uit en mijn keel zit zo dicht met haat en afschuw dat ik de woorden er nauwelijks uit krijg. „Ik snap niet wat hij in je ziet. Je ziet er niet eens uit als een minnares. Je bent te lélijk en te gewóón om een minnares te zijn."

Dan doet mijn vader een stap naar voren en grijpt me bij mijn arm. „Zo is het genoeg. Ik breng je naar huis."

„Nee! Ik wil jullie liefdesnestje zien! Ik wil het verdomme in elkaar STAMPEN!"

„Hou eens op met dat gevloek!"

Ik ruk mijn arm los. Ik voel hoe de razernij als een brede rivier door me heen stroomt. „Ophouden met vloeken? Jij laat je hele gezin in de steek en je maakt je druk om vloeken? Dat is brutaal. Verdomd brutaal. Jij hoeft me niet meer te vertellen wat ik doen moet. Daar heb je geen recht meer op. Ik kan voortaan doen waar ik zin in heb. Als je net niet naar beneden was gekomen, had ik het gewoon hier met die gozer gedaan, we stonden het trouwens bijna te doen, we..."

Mijn vader pakt mijn arm weer en rukt er zo hard aan dat mijn hoofd naar voren schiet.

„Wat is er?" gil ik in zijn gezicht. „Denk jij dat je de enige bent die weg kan lopen om een wip te maken als-ie daar zin heeft?"

Hij sleept me achter zich aan nu, en manoeuvreert me naar de plek waar de auto's geparkeerd staan. Ik weet dat hij me wil slaan, dat hij me echt wil slaan. Achter ons jammert Anita. We negeren haar allebei. Even wil ik mijn vader tegen zijn schenen schoppen, maar ik hou me nog net in.

Mijn vader maakt de auto open, zet mij op de passagiersstoel en slaat het portier voor mijn neus dicht. Dan stapt hij in en gaat naast me achter het stuur zitten. Het verandert nu we in de auto zitten. Het wordt rustig en kalm. Alle anderen zijn buitengesloten, net als de nacht met de kou en de wind. Mijn vader hangt over het stuur alsof hij ziek is. En ik ben moe, moe, alsof ik ben leeggezogen. Bijna vredig.

Toen deze avond begon, wist ik nog niet precies wat ik wilde. Ik wilde alleen dat vreselijke, onderdrukte, verscheurde gevoel kwijt en een eind maken aan die verschrikkelijke spanning in me. Ik ben tekeergegaan tegen iedereen, maar het meest van alles heb ik mezelf geraakt, zoals Clary Andover met haar mes deed.

En het heeft geholpen. Toch? Het is alsof ik krankzinnig was, bezeten. En nu voel ik me zowat vredig.

„Zal ik je thuisbrengen?" vraagt mijn vader schor.

Ik geef geen antwoord.

Hij steekt de sleutel in het contact, maar hij start de motor niet. „Dat was niet nodig geweest," zegt hij zachtjes.

„Wat niet?"

„Die scène. Dat is niks voor jou, Fliss. Zo heb ik je nog nooit eerder gezien. Ik snap best dat je boos bent. Natuurlijk snap ik dat. Maar de dingen zullen sneller weer gewoon zijn als... als..."

„Als ik geen scènes maak?" vraag ik bot.

„Het spijt me dat je het op deze manier te weten bent gekomen," gaat mijn vader verder. „Alhoewel ik niet begrijp wat je moeder bezielde toen ze in haar auto stapte en mij volgde. Ik wilde het jullie vertellen. Over Anita, bedoel ik. Ik wachtte gewoon even op het juiste moment."

Ik reageer niet. Ik lig nu ook bijna voorover, net als mijn vader; ik heb mijn armen om mijn knieën geslagen.

„Zeggen dat ik wegging, was al moeilijk genoeg," zegt hij. „Je moeder en ik... sinds kerst hebben we nauwelijks een fatsoenlijk woord met elkaar gewisseld. En het gaat al lang slecht, al zo lang dat ik me bijna niet meer kan herinneren dat het anders was. Ik kon haar niet over Anita vertellen toen het allemaal zo moeilijk liep, niet toen..."

Zijn stem verstomt en hij friemelt aan de sleutels in het

contact. Dan zegt hij: „Hoor eens, ik ga je naar huis brengen, Felicity. We zijn allebei moe."

„Nee," zeg ik.

„We kunnen hier toch niet de hele nacht blijven zitten?"

„Ik wil je flat zien. Ik wil zien waar je nu woont."

„Maar… ik…"

„Als je gaat rijden, spring ik uit de auto."

Hij slaakt een lange, bibberige zucht, wanhopig en woedend tegelijk. Dan zegt hij: „Felicity, luister. Ik snap dat je overstuur bent, echt waar. Maar ik kan je niet zomaar mee naar de flat nemen, niet… niet nadat je zo tekeer bent gegaan tegen Anita…"

„Dus je vindt haar gevoelens belangrijker dan de mijne, hè?"

Mijn vader weet niet goed hoe hij daarop moet reageren. Het is te rauw en te akelig voor hem. Ik heb nog nooit eerder zo op mijn strepen gestaan, nog nooit.

„Ik vind het nu gewoon niet het juiste moment," mompelt hij.

„Dat is het wel," snauw ik. „Ik ben hiervoor gekomen, pap. Ik ga heus niet nog een keer tekeer. Ik wil het gewoon zien."

Er volgt een geladen stilte. Dan zegt hij: „Oké dan. Als je het per se wil. Maar het is niet mijn flat, hij is…"

„Ik weet het, ik weet dat het haar flat is." Ik doe het portier open en zwaai mijn benen de kou in. „Maak je geen zorgen… ik zal niks kapot maken." Ik loop in de richting van de grote glazen deur, zodat mijn vader me wel moet volgen.

25

Even later staan we naast elkaar in de smalle lift, waar tapijt in ligt. Onze gezichten worden rondom vermenigvuldigd in de spiegels aan de wanden. Ik kijk naar de weerspiegeling van mijn vaders gezicht, maar hij ontwijkt mijn ogen. De lift staat plotseling stil.

„Vooruit maar," zegt hij zachtjes.

Voor de lift staat een goedkope imitatie van een Griekse vaas met aan weerszijden twee precies dezelfde, crèmekleurige deuren. Mijn vader loopt naar de deur aan de linkerkant, steekt de sleutel in het slot en draait hem om. Dan blijft hij in de deuropening staan, zodat hij mij de weg verspert en ik hoor hem sissen: „Anita! Aníta!" En dan hoor ik nog meer gesis en gefluister en ondertussen sta ik in de gang te wachten, naast die vreselijke nepvaas.

Mijn vader draait zich weer om en zegt: „Oké Felicity, vooruit maar. Kom verder." Hij gaat de deur door en ik loop hem achterna.

We lopen via een klein halletje een grote, ruime kamer binnen, die lijkt op een plaatje in een tijdschrift, met nietszeggend, beige meubilair. Anita is nergens te bekennen.

Ze is in de keuken, met de deur op een kiertje, ik weet het zeker. Daar staat ze te luisteren.

„Ga zitten," zegt mijn vader vermoeid en ik ga op de beige bank zitten.

Ik vraag me even af of ik een rondleiding zal vragen, maar ik doe het niet. Ik kan het niet. Binnen in me neemt de spanning weer toe, als een vuist die zich opent en sluit. En ik heb er geen zin meer in, ik kan het niet meer verdragen.

„Wil je een kopje thee?" vraagt mijn vader.

Ik haal mijn schouders op. Ik kijk snel de kamer rond. Er staat zo'n superlelijk tv-kastje in de hoek en voor het raam hangen gordijnen met een patroon dat zo saai is en zo bleek, dat ik het niet eens kan beschrijven. Onder het bureau staat de aktetas van mijn vader, de aktetas die ik dag in, dag uit, tussen de schooltassen en gympies bij ons thuis heb zien staan. Het is een eigenaardig gevoel dat hij nu hier staat.

Ik hoor geluiden in de keuken, Anita zet zeker thee.

Ik wil de slaapkamer zien, ik wil hem zien.

Mijn vader staat op, loopt naar de keuken en wacht even voor de bijna gesloten deur. Dan neemt hij onhandig een theeblad aan dat te voorschijn komt zonder dat de deur noemenswaardig verder opengaat. Ik moet er bijna om lachen.

„Ik zal haar heus niet aanvallen," zeg ik. „Ze mag best uit de keuken komen."

„Ik denk niet dat dit daar het juiste moment voor is," zegt mijn vader. Hij komt naar me toe en zet het theeblad op het nette, kleine koffietafeltje voor de bank. Anita heeft het volgens het boekje gedaan: theepot, kopjes, schotels, melkkannetje, zelfs een suikerpot. Ieder ander had twee bekers thee gezet en geroepen: „Hoeveel suiker wil je?" Ik kijk naar het keurige theeblad en heb zin om het om te gooien, ik heb zin alles om te gooien, over mijn vader heen. De spanning wordt erger.

„Waar is de badkamer?" vraag ik. „Ik moet naar de wc."

Hij wacht even met antwoord geven en knikt dan naar de deur naast de keuken. Ik sta op, loop erheen, ga naar binnen en draai de deur op slot.

De badkamer is erg luxueus. Veel luxueuzer dan bij ons thuis. Glimmende tegels, glimmend bad, zachtblauwe handdoeken en een zeepbakje in de vorm van een kristallen schelp. Ik pak een gebloemd make-uptasje en kijk wat erin zit. Ik haal er een lippenstift uit en draai hem open. Hij is akelig felroze. Ik wil met de punt tegen de tegels slaan, ermee krassen en smeren, maar ik doe het niet. Ik voel me machteloos. Alle moed is weggevloeid. Ik weet niet meer wat ik doen moet.

Ik ga op de rand van het bad zitten en maak het kleine, met eikenhout belegde kastje open dat aan de wand hangt. Dan ga ik staan en ik staar naar de inhoud. Ik zie de hightech vitaminepillen die mijn vader altijd koopt en waarvan mijn moeder altijd over de prijs moppert. Mopper*de*! Ik zie mannendeodorant tussen een duur, blauw parfumflesje en een pot jojoba body cream.

Ik zie een strip anticonceptiepillen.

„Kom er eens uit, Felicity," zegt mijn vader aan de andere kant van de deur. „Wat doe je daar?"

„Niks," roep ik terug. „Ik kom eraan."

Ik trek de wc door en draai de kraan even open en weer dicht. Dan kom ik de badkamer uit en ga op de bank zitten. Mijn vader heeft thee ingeschonken. Hij geeft me een kopje.

Het staat te schudden op het schoteltje in mijn handen – ik kan niet ophouden met trillen.

„Het spijt me," zeg ik. „Het spijt me dat ik een scène heb getrapt. Ik zal dit gewoon opdrinken en dan..."

„... breng ik je naar huis," zegt mijn vader dankbaar.

„Ja."

We zwijgen en nemen allebei slokjes van onze thee. Ik weet dat Anita nog steeds in de keuken is en niet te voorschijn durft te komen. Waarschijnlijk staat ze met haar oor tegen de deur, maar het interesseert me niet. Nu niet meer. En dan zegt mijn vader plotseling: „Je weet dat ik niet weggegaan ben om Anita, hè?"

Ik gaap hem aan en geef geen antwoord. Dan zeg ik schor: „Wat maakt dat uit?"

„Het is... ik wil niet dat zij de schuld van alles krijgt. De schuld van dat ik ben weggegaan."

Ik voel mijn gezicht trillen en vertrekken. De vuist in mijn binnenste balt zich en ontvouwt zich weer. „Wat maakt het in vredesnaam uit of ik haar de schuld geef of niet?" snauw ik.

„Omdat... ik wil dat het lukt met haar. Ik wil dat jullie het met elkaar kunnen vinden."

„Dus jij wilt dat ik goed kan opschieten met de vrouw voor wie je ons in de steek hebt gelaten?"

„Felicity, ik zei je net toch dat het niet om haar was..."

„Haar! Haar! En ík dan? Waarom denk je niet om mij?"

Hij blijft zitten en staart verbijsterd voor zich uit. Hij weet niks te zeggen. Mijn eigen vader weet niks te zeggen, als ik hem vraag waarom hij niet aan mij denkt. Hij is geschokt, erger dan toen ik hem een half uur geleden vervloekte en uitschold.

„Hoor eens," zegt hij voorzichtig terwijl hij voor zich uit blijft staren. „Je bent moe. Overspannen. Laat me je nu naar huis brengen en..."

„... en dan kun je me weer vergeten, hè? Net zoals eerst."

Hij zucht. Het klinkt vermoeid, alsof hij er genoeg van heeft.

En na die zucht verlies ik plotseling mijn zelfbeheersing. Plotseling spring ik overeind en schreeuw en gil ik dingen die ik al jaren onderdruk. Ik gil dingen waarvan ik niet eens wist dat ik ze dacht.

„Je bent mij vergeten toen Alexa werd geboren, hè? Zij was de baby, je dacht alleen nog maar aan haar! Ik weet nog dat je het zei! 'Kom op, Felicity, je hebt me bijna zes jaar voor jou alleen gehad, nu moet je leren delen.' En ik heb gedeeld... en ik deelde weer toen Phoebe werd geboren, ik was de grote zus die altijd in de buurt was om te helpen en ik dacht... ik dácht dat als ze ouder zouden zijn en ze meer zelf zouden kunnen, dat jij en ik dan misschien weer iets zouden krijgen samen, misschien zou je dan weer aandacht voor me hebben om... om met me te praten, misschien zou je dan de moeite weer nemen om te zien wat ik doe, wat ik met mijn leven doe..."

Mijn vader kijkt me vol afschuw aan. „Flissy," kreunt hij. „Ik heb altijd van je gehouden..."

„Wanneer laat je dat dan eens zien? Hóé laat je het zien? Dacht je dat het duidelijk zou worden als je me in de steek zou laten?"

„Ik heb je niet in de steek gelaten..."

„Jawel!"

„Mama en ik zijn uit elkaar, niet..."

„Jij woont niet meer bij ons! Dát is de waarheid, wat je er ook over zegt! Wanneer zie ik je nou? Je haalt de kleintjes op en neemt ze mee uit zwemmen en zo, maar..."

„Felicity, jij wil nooit mee! En die keer dat ik de meisjes trakteerde op pizza... je wilde niet mee!"

„Dat weet ik wel. Maar wat blijft er over? Wat blijft er over voor mij?"

Het is stil. Ik kan zijn brein bijna horen racen en zie de ader op zijn voorhoofd wild kloppen.

„Hoor es," mompelt hij. „Het valt niet mee. Ik bedoel... jij en ik... we hebben de laatste paar jaar weinig contact meer, hè? Een tienerdochter met een saaie, ouwe pa op de achtergrond. Ik heb je niet gevraagd omdat... nou ja, het leek me een beetje onecht om plotseling veel samen te doen alleen maar omdat je moeder en ik uit elkaar zijn..."

Dus zo denk je erover, hè pap? Zo denk je erover. Ik word helemaal koud. Zo koud. En al het bloed trekt uit mijn gezicht.

„Maar, eh..." mompelt hij verder. „Dat hoeft niet te betekenen dat we er niets meer aan kunnen veranderen, toch? Jij zegt dat je hoopt dat onze relatie beter wordt... nou, dat is... dat is fijn. Misschien... als alles een beetje rustiger is en we het ergste hebben gehad, misschien kunnen we dan..."

Zijn stem verstomt. Plotseling ben ik kotsmisselijk... van hem, van mezelf, van alles. Als ik zo om zijn liefde moet bedelen, wil ik die niet eens. Het is te gênant, te vernederend. Alles wat hij nu te bieden heeft, is zielig, vals. Ik wil het niet.

De vuist binnen in mij knijpt nu zo hard dat ik niet meer kan ademen. Dat verschrikkelijke, gebalde ding waar ik zo hard tegen heb gevochten, dat ik eronder heb proberen te houden, dat ik onder controle wilde houden... het komt er nu uit. Ik laat het theekopje vallen, op het beige tapijt en ren hard naar de voordeur van de flat. Ik trek hem open en ren de flat uit. En terwijl ik voortstrompel, begin ik te huilen. Ik huil niet om mijn vader, niet om wat hij zei, of om wat hij niet heeft gezegd. Ik huil om de vader die ik nooit heb gehad, de vader die me wél kent, die me ként en van me houdt om mezelf.

Ik ben aan het eind van de gang. Daar is een grote zwaaideur waar *Nooduitgang* op staat. Ik ruk hem open en zie de trap – en mijn hoofd tolt, mijn hoofd begeeft het en als ik uitglijd, begeven mijn benen het ook. Ik klap dubbel en voel dat mijn hoofd tegen de grond knalt – en dat was het dan.

26

Daarna kom ik ook een tijdlang niet op school. Net als Clary Andover, het meisje dat zichzelf in haar armen sneed omdat ze bevrijding zocht.

Ik blijf negen dagen in het ziekenhuis omdat ik een nare wond op mijn hoofd heb die ik opliep toen ik van de trap gleed, en voor mijn hersenschudding. Ik word geobserveerd vanwege mijn psychische toestand, omdat ik me maf gedraag als ik begin te herstellen van de hersenschudding. „Een zenuwinstorting," dat zeggen ze. Kapotgaan, instorten, stuk.

Er komen mensen bij me op bezoek. Mijn vader natuurlijk, maar ik kan niet met hem praten, ik schaam me te erg. Hij zegt aldoor hoe naar hij zich voelt, steeds maar weer. „Toen ik je vond," zegt hij, „dacht ik dat je had geprobeerd jezelf van de trap te gooien."

'Mezelf van de trap gooien' was een fractie van een seconde door mijn hoofd geschoten. En toen, op het allerlaatste moment, was er iets geweest dat me tegenhield, iets waardoor ik het niet deed.

Mijn vader woont nog steeds op Magpie Place. Al had ik mezelf van de trap gegooid, dan was dat niet genoeg geweest. Niet genoeg om hem bij Anita weg te halen.

Mijn moeder komt natuurlijk ook op bezoek. Elke dag twee uur, al vraag ik of ze dat niet wil doen. Soms alleen, soms met mijn zusjes. Ze huilt, omdat ze zich zorgen maakt. Ze begrijpt niet waarom het is gebeurd en wil alles weten. Maar ik kan er niet echt met haar over praten. Ik weet niet hoe ik het uit zou moeten leggen. Phoebe en Alexa nemen wenskaarten voor me mee die ze zelf hebben gemaakt. Ze staren me aan met reusachtige, lege ogen, op dezelfde manier waarop ze mijn vader aanstaarden op de dag dat hij het huis uit ging. En ik moet er voortdurend aan denken hoe erg ik ze allemaal in de steek heb gelaten, hoe erg ik het heb laten afweten. Maar ik kan niets uitbrengen.

Liz komt twee keer, een keer met Megan en een keer alleen. Ze vragen niks. Ze doen opgewekt en kletsen veel en weten niet goed wat ze tegen me moeten zeggen. Ze vertellen me alle roddels, hebben het over wat we gaan doen als ik weer beter ben. Het voelt nep. Ik weet zeker dat dat voor hen ook zo is.

De eerste paar dagen in het ziekenhuis krijg ik behoorlijk wat pillen, waardoor het lijkt alsof ik achter een glazen muurtje zit en zie hoe mensen tegen me praten. Heel in de verte weet ik wel dat ik blij ben dat ze om me geven, dat ik blij ben dat ze zijn gekomen, maar ik kan het niet echt voelen. Dan vermindert de dokter de hoeveelheid pillen en wordt alles zwaarder en pijnlijker en dan, een paar dagen voor ik het ziekenhuis uit ga, zie ik een nieuw iemand aan mijn bed.

Ze heet Jill. Ze is heel rustig en op haar gemak en gewoon. Haar taak is om mij aan het praten te krijgen. Eerst wil ik niet; ik heb geen zin om iets te vertellen. Maar ze blijft daar maar zitten en de volgende dag komt ze weer. We beginnen langzaam aan het in elkaar passen van de puzzelstukjes. Waarom andere kinderen er wel mee kunnen omgaan dat hun gezin kapot gaat en ik niet. Waarom ik het gevoel had dat ik de sterkste moest zijn thuis, terwijl dat wat ik deed, bewees dat ik de zwakste was... Hoewel Jill zei dat ik het zo niet moest zien. Hoe ik het vind dat mijn vader iemand anders heeft ontmoet. Hoe maf dat is, omdat ik altijd dacht dat mijn moeder iemand anders zou ontmoeten.

En terwijl ik verder hakkel en dingen aan haar probeer uit te leggen, besef ik dat we thuis nooit echt spraken over wat er gebeurde en weet ik hoe verkeerd dat was.

Pas wanneer ik met haar over Simon praat, heb ik wat zij 'mijn eerste doorbraak' noemt. Het wordt me allemaal duidelijk: hoe ik hem heb gebruikt, hoe ik van hem iets probeerde te maken wat hij niet was, dat hij me alles moest geven wat ik thuis miste: alle veiligheid en aandacht die ik nodig had en maar niet kreeg. Ik voel me ellendig als ik aan Simon denk en aan alles wat ik hem liet doormaken. Ik begin aan een brief waarin ik hem mijn excuses aanbied, maar verscheur hem weer.

En dan, de dag voor ik het ziekenhuis uit mag, brengt mijn moeder een kaart van hem mee. Die had hij naar ons huis gestuurd. Er staat een plaatje van een bos bloemen op en *Word maar snel weer beter* en binnenin staat alleen *Simon.*

Ik zie voor me hoe hij in de winkel stond om een kaart uit te zoeken. Ik weet zeker dat hij er eeuwen over heeft gedaan en daarna heeft hij ook weer eeuwen zitten bedenken wat hij erop zou zetten, voor hij de knoop doorhakte en alleen

Simon schreef. Ik huil niet als ik hem voor het eerst lees, niet als mijn moeder erbij is, maar later, als de verpleging bezig is de afdeling klaar te maken voor de nacht, pak ik de kaart opnieuw en lees hem nog een keer. Dan huil ik emmers vol in mijn kussen. De verpleegster moet komen om de sloop te verschonen, zo nat wordt die.

Als ik het ziekenhuis uit ben, is alles anders. Allereerst lijkt Alexa jaren ouder. Ze heeft een kracht en een rust die ik me niet van haar kan herinneren. Het is niet helemaal alsof ze mijn rol van steun en toeverlaat van mijn moeder heeft overgenomen, maar een beetje lijkt het er toch wel op.

Wat ook veranderd is, is dat mijn moeder niet meer zoveel steun nodig lijkt te hebben, niet meer zoveel als eerst. Ze heeft een heleboel geregeld, dingen met mijn vader over geld en zo. Het cateringbedrijfje doet het goed en Jane is vaak bij ons. Ze praten over van alles, terwijl ze ondertussen groenten hakken en in kommen roeren. Ze zijn enorm goede vriendinnen. Het evenwicht thuis is veranderd en na een week of zo begint het tot me door te dringen dat het een goed evenwicht is. Soms slenter ik de keuken in en ga ik bij ze zitten en dan vraagt Jane me hoe ik me voel en dat vertel ik haar dan. Mijn moeder luistert goed en moedigt me aan om te praten. Het is makkelijker zo, op de een of andere manier, met hen allebei. Fijn.

Niemand zegt iets over weer naar school gaan. Ik blijf de hele maand februari thuis en dan is het ineens maart. Ik wil niet over school praten, of over het eindexamen. Ik voel me al uitgeput bij het idee alleen. Ik ga twee keer per week naar Jill en zij zegt: die brug gaan we over als jij er klaar voor bent.

De praktijk van Jill ligt aan de andere kant van de stad. Mijn moeder brengt me er met de auto heen en haalt me na een uurtje weer op. Na de tweede keer word ik echt boos. „We draaien alleen maar in een kringetje rond!" val ik uit. „Waar zijn al die vragen toch goed voor? Ik heb toch hulp nodig?"

„Is dat zo?" vraagt ze.

„Ja!"

„Waarvoor?"

„Sjonge! Dat is nogal duidelijk! Om ervoor te zorgen dat ik me normaal gedraag, dat ik me kan beheersen en de controle over mijn leven weer in handen krijg..."

„Nou... oké, Fliss. Maar ik ben er niet zo dol op om ervoor te zorgen dat mensen zich normaal gedragen, of dingen onder controle houden."

„O, jemig, je zit... je zit gewoon te zeiken over de woorden die ik gebruik! Je snapt best wat ik bedoel."

Dan zwijgt ze lang. Ik raak zo geïrriteerd dat ik ga staan en uitroep: „Ik weet niet wat ik hier doe! Jij biedt me helemaal geen oplossingen!"

En wat ze dan zegt, is: „Nee, dat klopt."

Dat verbaast me zo, dat ik weer ga zitten. En dan gaat ze reusachtig lief weer verder: „Fliss, ik heb geen oplossingen, maar jij wel. Wat ik ga doen – als je dat wilt – is jou helpen rond te wroeten in jezelf, zodat je ze zelf kunt vinden."

En al snel na dat uur, en de volgende dag ook nog, merk ik dat ik uitkijk naar de volgende bijeenkomst.

27

De vijfde keer dat ik bij Jill ben, zegt ze dat ze een volgende stap wil nemen. Ze wil dat ik alles vertel wat er is gebeurd op de avond dat ik naar mijn vaders nieuwe huis ging.

Eerst stribbel ik tegen, want in mijn kop is die avond een zwart gat, een gebied met een bord *Verboden toegang* ervoor. Maar ze krijgt me aan het praten over hoe ik Dale belde en een afspraak met hem maakte in de pub. Als ik eenmaal begin, ben ik verbaasd hoe makkelijk het is. Het lijkt al zo lang geleden, alsof het iemand anders is overkomen. Uiteindelijk moeten we zelfs lachen om hoe bot en opdringerig hij was. Dan vertel ik haar wat er gebeurde toen mijn vader verscheen met Anita in zijn kielzog. Dat is veel lastiger om te vertellen, maar het lukt me.

„Dat voelde zo lekker," fluister ik.

„Wat?"

„Dat ik ontplofte. Toen ik me liet gaan, toen ik niet meer nadacht en de woorden gewoon liet stromen… dat was lekker."

Het is even stil. Jill wacht even of ik nog iets wil zeggen. Dat doet ze altijd. Dat is fijn, want de meeste mensen kunnen niet wachten tot ze je kunnen onderbreken.

„Zoals ik het zie," zegt ze vriendelijk, „was je net een

snelkookpan waarvan het ventiel verstopt zit. De druk werd steeds maar groter tot hij niet meer te verdragen was. En toen… toen barstte je letterlijk uit elkaar. Boem!"

Ik lach en snif.

„Natuurlijk is het prettig als dat gebeurt," zegt ze. „Dat voelt geweldig. Dan is al die verschrikkelijke druk weg. Maar daarna begint hij weer op te bouwen."

Ik knik. Ik weet dat ze gelijk heeft.

„En het kost zoveel energie om het deksel erop te houden, om alle angst en dat ongelukkige gevoel binnen te houden…"

„Ik weet het," fluister ik. „Zo voelt het ook."

„Waarom laat je de druk niet geleidelijk aan ontsnappen, beetje bij beetje?" vraagt ze vriendelijk. „In plaats van af te wachten tot de spanning zo groot is dat je barst?"

„Hoe dan?" vraag ik.

„Nou… daar zijn deze gesprekken voor een deel voor. Alles aan het licht brengen en er goed naar kijken, zodat je kunt zien dat het uiteindelijk niet zo eng is."

Ik knik, want ik ben me in de afgelopen week beter gaan voelen. Ik begin minder bang te worden.

„Denk eens aan alle energie die je overhoudt als je dat deksel er niet meer zo stevig op hoeft te houden," gaat ze verder. „Kun je met die energie geen betere dingen doen?"

Begin maart probeer ik helemaal te stoppen met de pillen, maar ik voel me zo beroerd dat ik meteen weer begin. Wel in een lagere dosering.

Op een dag, niet lang daarna, komt mijn moeder mijn

kamer binnen en zie ik aan haar gezicht dat ze me iets ernstigs wil vertellen. Ze vertelt dat ze de scheidingspapieren heeft ontvangen. De scheiding is blijkbaar makkelijker vanwege Anita.

Ik vraag haar hoe ze zo rustig over Anita en de scheiding kan praten, hoewel ik me ook best kalm voel. En ze zegt: „Tja... ik kan haar de schuld niet in haar schoenen schuiven, Fliss. Ons huwelijk was toch al kapot. Al meer dan een jaar, misschien al twee jaar. We bleven voortmodderen tot Anita op het toneel verscheen. En dat bracht de zaak aan het rollen. Daardoor wilde je vader dolgraag weg... maar we waren uiteindelijk toch wel gescheiden. Dat weet ik zeker."

Ze blijft aan het voeteneind zitten en we praten erover hoe zij het redt zonder mijn vader en hoe het gaat tijdens mijn gesprekken met Jill en zo. Dan zegt ze plotseling dat het haar spijt. Ze vertelt dat ze zich zo'n zorgen maakte over de kleintjes, en daardoor vergat dat ik ook hulp nodig had. Dat ze heeft geprobeerd op mij te steunen alsof ik een volwassene was en hoe oneerlijk dat was. Als ze dat zegt, begin ik te huilen. Het is maf, ik maak geen geluid, maar er lopen stromen water uit mijn ogen en ik hap naar adem. Ze slaat haar armen om me heen en houdt me alleen maar vast. Daarna gaat ze naar beneden om thee te zetten en als ze weer boven komt, voelen we ons een tikje onhandig, maar de stemming blijft op de een of andere manier warm. Ze zegt: „Ik ben bijna jarig."

„Ik weet het," zeg ik.

„Laten we een feestje geven, Fliss. Een heel kleintje. Misschien nodig ik Jane uit, dan zijn we gewoon met z'n vijven.

Dan gaan we slagroomtaart eten en goedkope champagne drinken en ouderwetse lol maken, oké?"

„Afgesproken," zeg ik.

„Geweldig. Misschien laat ik de kleintjes ieder een vriendinnetje uitnodigen. Zodat ze niet zo kibbelen."

„Ja, waarom niet."

„Maar dan ben jij de enige zonder vriendin. Vraag Liz maar."

„Ik kan niet alleen Liz vragen, dan moet ik Megan ook uitnodigen."

„Nou... vraag haar dan ook maar. Waarom niet. Een echt vrouwenavondje. Maar als er zo veel mensen komen, moet ik wel wat koken... misschien kan ik lasagne maken of... Waarom lach je me uit?"

„Omdat het al een echt feest begint te worden, vind je ook niet? Net zoals vroeger. Je was altijd zo dol op feestjes."

Haar ogen worden vochtig en dan zegt ze: „Ja, ik weet het. Nog steeds."

Een paar dagen daarna stop ik echt met de pillen. En nog wat dagen later realiseer ik me ineens dat ik niet langer van buitenaf naar ons gezin sta te kijken, maar dat ik er weer bij hoor. Ik maak enorme ruzie met Alexa, omdat ze mijn make-up heeft gebruikt. Ik zeg tegen mijn moeder dat ze niet zoveel moet drinken, al maak ik me er niet echt zorgen over, niet meer. En een week later zit ik weer op school.

Mijn mentor is fantastisch en steunt me enorm. Ik heb zijn hulp nog nooit eerder nodig gehad. Hij neemt met me door wat ik moet doen om de stof weer in te halen, maar zegt dat ik me niet onder druk gezet moet voelen. Hij vertelt me dat ze bij het nakijken van mijn schoolonderzoeken rekening zullen houden met wat hij 'mijn problemen' noemt. Hij zegt me dat ik best af en toe een dagje vrij mag nemen... dat ik dat gewoon moet doen. Ik krijg het gevoel dat hij echt aan mijn kant staat.

Hij doet nog iets voor me. Hij brengt me in contact met Melissa. Ze zit in een andere klas in hetzelfde jaar – ik ken haar van gezicht. Mijn mentor heeft haar gevraagd of ze met me wil praten over het hele gedoe van opgroeien in een gebroken gezin.

Tijdens een van de pauzes duikt ze plotseling naast me op en zegt: „'k Weet niet, hoor. Alleen maar omdat ik in de debatteerles een perfecte speech afstak over de voordelen van wonen in twee gezinnen, beschouwt iedereen me ineens als een soort expert."

Eerst vind ik dat nogal arrogant, maar ze heeft zo'n grappige, gekwelde uitdrukking op haar gezicht als ze het zegt, dat ik moet lachen. Zij lacht ook en vraagt heel direct: „Ken je 'de andere vrouw' al?"

Ik schud mijn hoofd en zeg schor: „Ik heb haar maar één keer gezien. Ik kan het me... ik kan me niet voorstellen dat ik met haar in één kamer zou zitten en met haar zou praten."

„Dat is normaal," zegt Melissa. „Helemaal normaal. Het duurde éeuwen voor ik de nieuwe vrouw van mijn vader wilde ontmoeten. Ik deed altijd mijn handen voor mijn oren als hij met mij over haar probeerde te praten. En ik wilde niet naar de bruiloft."

„Hoe oud was je toen?"

„Veertien. Een gevaarlijke leeftijd, hè? Ik had het gevoel dat ik mijn moeders kant moest kiezen. En toen leerde mijn moeder ook iemand kennen, een jaar later. En dat nam de druk weg en nu… ik mag mijn stiefmoeder best. Meer dan de vriend van mijn moeder, eigenlijk. Dus ben ik vrij vaak bij hen."

Ik gaap haar aan. Uit haar mond klinkt het zo makkelijk, zo simpel. Voor mij lijkt het net alsof zij een lange reis achter de rug heeft waar ik nog aan moet beginnen.

„Mijn stiefmoeder is Spaanse," gaat Melissa verder. „En haar Engels is *basic* en behoorlijk kort door de bocht soms. Ik weet zeker dat het daardoor makkelijker was. We móésten wel direct tegen elkaar zijn… eerlijk tegen elkaar. De eerste keer dat ik haar ontmoette, kwam ik lunchen. En ze had zo reusachtig haar best gedaan, alleen voor mij… je kon haar gewoon niet anders dan aardig vinden. Toen, na het eten, verdween mijn vader ineens naar boven. Ze hadden het vast van tevoren afgesproken. Ik begon net een beetje link te worden, een beetje ongemakkelijk, toen ze een gigantische doos chocolaatjes openmaakte, hem voor mijn neus zette en zei: 'Hé, laten we de zaken even duidelijk op een rijtje zetten. Jij en ik hoeven niet om je vader te vechten. We hebben verschillende dingen met hem. Hij en ik hebben samen dingen waarvoor hij achter de tralies zou belanden als hij ze met jou zou hebben.'"

„Jemig! Zei ze dat gewoon?"

„Jep. 'Jij en je vader,' zei ze, 'hebben hetzelfde bloed. Dat verandert nooit meer. Misschien gaat zijn relatie met mij wel over, maar jij zult altijd zijn dochter blijven. Hij zou zijn leven voor je geven. Dat zou hij niet voor mij doen en dat zou ik ook niet willen, want hij heeft jou om voor te leven. Dus niet van die jaloerse onzin, afgesproken?' En toen ging ze staan, liep om de tafel, sloeg haar armen om me heen en perste zowat alle lucht uit me."

„Wauw. En hielp het?"

„Wat ze zei? Ja. Op de een of andere manier wel. Voor haar zijn dat niet zomaar woorden. Ze zegt altijd hoe belangrijk het is dat je een bloedband hebt. Heel heftig over familie en zo. Ze geeft mijn vader op zijn donder als hij bijvoorbeeld niets aan mijn verjaardag doet. Dan wordt ze razend… 'Wat voor vader ben jij?' En ik vind het best leuk dat ze zo fysiek is. Ik bedoel… Ze omhelst je of je het nou wil of niet. En zelfs als je het eigenlijk niet wil, is het best fijn. Ik vond haar eerst altijd een beetje dom, omdat ze signalen van mensen niet oppikt, maar ik ben van gedachten veranderd. Ze weet best in wat voor bui mensen zijn, maar ze gaat er gewoon doorheen, verandert het… daar is ze goed in. Ze zorgt ervoor dat je haar kant kiest."

„Altijd?"

„Nee. Tuurlijk niet. Soms gil ik dat ze moet opsodemieteren en dan sodemietert ze op, maar daar zit ze niet mee. Ze mokt niet. Ze is… intelligent. Soms doet ze voor de grap alsof ze met mij tegen mijn vader samenzweert. Dan zegt ze tegen hem dat hij me meer zakgeld moet geven en zo. Zodat ik 'er goed van kan leven'. En dan nemen we mijn vader samen in de maling en schreeuwt ze en zwaait ze met haar armen… dat is zo geinig. Hij geniet ervan en uiteindelijk liggen we alle drie in een deuk."

„Vindt hij het prettig om afgesnauwd te worden?"

„Ja, maar als zij dat doet, is het ook anders. Voor haar is het een spel en dat weet hij. Heb je ooit mensen de flamenco zien dansen?"

Ik schud van nee. „Alleen maar in zo'n oude dansfilm, die heette..."

„Doet er niet toe. Nuria zegt dat de flamenco een dans is over de verschillen tussen mannen en vrouwen, over hoe ze ruziemaken. In de flamenco schreeuwen ze en dagen ze elkaar uit, daarna zijn ze het kwijt en kunnen ze weer met elkaar overweg. Als Nuria weer eens begint, zegt mijn vader dat ze de flamenco danst. Snap je... in Spanje vinden ze dat je veel om iemand geeft als je tegen hem schreeuwt, als je zoveel om iemand geeft dat hij of zij je van streek kan maken."

„Ik wist niet dat de flamenco over ruziemaken ging... ik dacht dat het over seks ging."

Melissa kijkt me scheef aan. „Eén pot nat. Maar daar gaan we het niet over hebben... hij is en blijft mijn vader."

Daarna zie ik Melissa steeds vaker. We komen elkaar tegen op de gang en beginnen dan te kletsen. Ze vertelt me over haar nieuwe broertje, over hoe bang ze was dat ze jaloers zou zijn, maar dat ze juist dol op hem is. Ze vertelt hoe de familie van Nuria voortdurend komt logeren en hoe geweldig ze allemaal zijn, vooral haar neef van achttien die erg gespierd is en haar altijd achterna loopt om zijn Engels te oefenen.

Ik denk veel na over wat Nuria zei... dat Melissa's vader zijn leven voor haar zou geven. Ik weet niet zeker of mijn vader zijn leven voor me zou willen geven, maar hij doet beter zijn best. Als hij mijn zusjes komt halen om ze mee te nemen naar de bioscoop of iets dergelijks, loopt hij altijd even naar mijn kamer om hallo te zeggen en om te vragen hoe het met me gaat. Het is een beetje geforceerd, een beetje gênant, maar hij doet het tenminste.

Op een avond belt hij op en vraagt of ik met hem uit eten wil, alleen hij en ik. We gaan naar een heel sjiek restaurant, zegt hij en ik ben helemaal nerveus en zenuwachtig, maar dan verpest hij het de avond daarop weer door op te bellen en te vragen of ik het leuk zou vinden als Anita mee zou gaan. Ik kan geen woord uitbrengen als hij dat vraagt en verbreek de verbinding gewoon. Als mijn moeder me huilend in mijn kamer vindt en het hele verhaal uit me perst, loopt ze meteen met grote stappen weg en hoor ik haar even later tegen hem schreeuwen aan de telefoon.

Hij wacht twee dagen, dan belt hij terug. Hij zegt dat het hem spijt, dat het ongevoelig van hem was. En of ik nog met hem uit eten wil? Ik wil best, en het restaurant en het eten zijn fantastisch, maar het is op de een of andere manier verpest. Het is net alsof Anita toch bij ons aan tafel zit.

Het eindexamen komt dichterbij, en ik ben veel minder zenuwachtig dan ik had verwacht. Ik heb iets ontdekt. Als je helemaal aan de grond hebt gezeten, echt stuk hebt gezeten en kapot bent geweest en je leert je toch weer open te stellen, dan sta je daarna zoveel sterker in je schoenen.

28

Ik ga nog steeds naar Jill, maar nog maar één keer per week. Ik heb goede en slechte weken, goede en slechte gesprekken met haar. Op een dag ben ik heel somber. Jill krijgt nauwelijks een woord uit me. „Wordt het niet vervelend?" vraag ik haar zuur. „Om altijd met mensen over hun problemen te praten?"

Ze schudt haar hoofd. „Ik vind het eigenlijk wel inspirerend."

„Echt waar?" vraag ik spottend.

„Ja. Kinderen en jongeren zoals jij, met trauma's, allerlei soorten trauma's, jullie zijn bijna allemaal dapper. Zo vindingrijk. Jullie hebben vaak zoveel tegen en toch komen jullie er aan de goede kant weer uit."

Ik glimlach zwakjes. „Ik heb helemaal niet het gevoel dat ik ooit nog ergens uit zal komen."

„Nog niet, misschien. Nog niet helemaal. Maar het zal je lukken, je zult het redden. Je bent er bijna. Ik kan het merken aan de manier waarop je praat."

Ik voel een golf tranen opkomen als ze dat zegt en kijk omlaag.

Ze reikt naar de doos tissues, trekt er een uit en geeft hem aan mij. Dan zegt ze: „Nou Fliss, aangezien jij toch niet zo heel veel zal praten vandaag, ben ik bang dat ik je mijn laurierboomverhaal moet vertellen."

„Wát?"

„Mijn laurierboomverhaal. Het is waar gebeurd. Ik kom erin voor."

Ik glimlach. „Vertel maar."

„Mijn vader... hij is weduwnaar. Mijn moeder is tien jaar geleden gestorven."

Terwijl ik me nog zit af te vragen of ik moet zeggen dat ik het erg vind voor haar, gaat ze al verder: „Ik zie hem niet zo vaak als zou moeten. Hij woont nogal ver hiervandaan. Maar hij is oké. Hij heeft een eigen huis en aardige buren en een mooi tuintje. Hij is dol op tuinieren. Hij heeft ook een terras, maar dat ziet er verschrikkelijk uit... kaal en leeg. Ik vond dat hij wat potten met bloeiende planten moest kopen, maar dat vond hij te veel gedoe. Dus voor Kerstmis kocht ik een mooie, terracotta pot voor hem, met een klein laurierboompje erin. Ik zei hem dat die pot voor op het terras was en hij was er heel blij mee. Maar de volgende keer dat ik bij hem was, stond het boompje niet meer op het terras. Die ouwe slimmerik had hem in de tuin gezet, op de rand van het gras en de border."

Ik lach en ze gaat verder: „Ik gaf hem op zijn donder natuurlijk. En hij zei dat het boompje er op de terrastegels zo eenzaam had uitgezien, dat hij het maar tussen de andere planten had gezet. 'Planten houden van gezelschap,' zei hij."

Ze houdt op met praten, neemt een slokje water en ik begin me net af te vragen of het verhaal nu is afgelopen, dat de boodschap is dat planten gezelschap nodig hebben, net zoals mensen, als ze zegt: „Mijn vader heeft niks met levende dingen in potten. Ik had speciale voeding voor het boompje gekocht, je weet wel, mest, maar hij vergat het gewoon te geven. Het boompje groeide nauwelijks en de blaadjes werden helemaal geel... het zag er ziek uit... afschuwelijk. Ik bleef hem aan zijn kop zeuren en als ik bij hem was, gaf ik het boompje zelf maar mest. En toen, ergens in de lente, had ik het een poosje te druk en zag ik hem een tijdje niet... misschien wel twee maanden niet. Toen ik weer bij hem op bezoek ging, liep ik de tuin in en daar stond de laurierboom, die een totale metamorfose had ondergaan. Hij was twee, drie keer zijn oude formaat. Hij zag er geweldig uit... groen en vol en gezond, prachtig. Dus zei ik: „Pap, goed gedaan! Eindelijk ben je hem gaan verzorgen!" Hij keek een beetje sullig en zei: 'Nee, dat is niet zo. Probeer die pot maar eens te verschuiven.' Dat deed ik en het lukte me niet. Hij zat muurvast. Een paar wortels hadden via het gat in de bodem van de pot hun weg gevonden naar de aarde, en daar voeding gevonden. Dat was er gebeurd; dat was alles wat het boompje nodig had."

Het blijft stil. Dan grijnst ze naar me en zegt: „Soms komen kinderen hier na een tijdje nog een keer praten. Ze vertellen me dan dat ze het gered hebben. Het is geweldig om ze zo te zien, met van die heldere ogen en zo positief. En dan moet ik altijd denken aan die keer dat ik de tuin van mijn vader in liep en de laurierboom zag. Hoe alles tegen leek te zitten, maar hoe dat boompje zich een weg had gebaand door dat kleine gaatje in de bodem van de pot en daardoor was gaan glimmen en er sterk en glanzend bij stond."

„Wat zou er zijn gebeurd als het hem niet was gelukt?" vraag ik zachtjes.

„Wat?"

„Als die wortels zich geen weg hadden gebaand?"

„Dan zou dat boompje zijn doodgegaan, denk ik. Maar het punt is, dat hij knokte. Het was niet eerlijk dat hij moest knokken, het was niet eerlijk dat hij niet in de aarde werd gezet, of dat hij geen mest kreeg, maar hij baande zich zelf een weg. Net als kinderen die alles tegen lijken te hebben, maar toch iets van hun leven weten te maken. Net zoals jij zult doen."

Het is even stil. Dan vraag ik: „Hoe gaat het met de boom?"

„Met de laurierboom? Fantastisch. Hij is groter dan ik. Mijn vader heeft hem op die plek laten staan, al brengt dat de rest van de tuin een beetje uit evenwicht." Ze kijkt me recht aan en grijnst. „De boom is jaren geleden al uit zijn pot gebarsten."